Le père séparé

Être père quand même

Titres déjà parus dans la
COLLECTION PARCOURS
dirigée par Josette Ghedin Stanké

LA MÉNOPAUSE
par Winnigred Berg Cutler Ph.D., Celso-Ramón García M.D., et David A. Edwards Ph.D.

LAISSEZ-MOI DEVENIR
par Dr Gilles Racicot

CES FEMMES QUI AIMENT TROP (tome 1)
par Robin Norwood

CES FEMMES QUI AIMENT TROP (tome 2)
par Robin Norwood

SYNDROME PRÉMENSTRUEL
par Dr Michelle Harrison

IMAGE DE SOI ET CHIRURGIE ESTHÉTIQUE
par Dr Alphonse Roy et Sophie-Laurence Lamontagne

NON ! CE N'EST PAS FINI
par J. Clément Gélinas

OSTÉOPOROSE
par Wendy Smith

UN DERNIER PRINTEMPS
par June Calwood

VIVRE LA SANTÉ
par Dr Deepak Chopra

SIDA, UN ULTIME DÉFI À LA SOCIÉTÉ
par Dr Élisabeth Kübler-Ross

DE L'AMOUR-PASSION AU PLEIN AMOUR
par Jacques Cuerrier et Serge Provost

VIVRE L'AMOUR
par Robert Steven Mandel

Lise Turgeon

Le père séparé

Être père quand même

Avant-propos de Josette Ghedin Stanké

Stanké

Données de catalogage avant publication (Canada)
Turgeon, Lise
Le père séparé
(Collection Parcours).
Présenté à l'origine comme thèse (de maîtrise de l'auteur — Université Laval) 1987.
Bibliogr. : p.

ISBN: 2-7604-0344-0
1. Pères divorcés. 2. Père et enfant. 3. Pères. 4. Enfants de divorcés. I. Titre. II. Collection : Collection Parcours (Stanké).

HQ756.T87 1989 306.8'9 C89-096094-1

Ce livre a été conçu à partir de la recherche intitulée « Le père séparé » que l'auteur a présentée dans le cadre de la maîtrise en « Counseling et orientation », sous la direction du Dr Yves Marcoux (D. Ps.).

Page couverture : Olivier Lasser

ISBN 2-7604-0344-0

Dépôt légal : premier trimestre 1989

IMPRIMÉ AU CANADA

À mes filles, Annie, Émilie et
Marianne, avec tout mon amour...

TABLE DES MATIÈRES

AVANT-PROPOS

Il est des histoires maudites, des contes pourtant véridiques, des déroulements à répétitions dont chaque tiroir ouvre inexorablement sur l'effacement du père. Sous quelque forme que l'alibi prenne. Le drame de la séparation et des divorces en est une.

Un père, une fois, assistait scandalisé à la naissance de sa fille, suffoquant de laisser cette vie attaquer la sienne encore si incertaine d'elle-même. Il n'en voulait pas ! Comment être père soi-même quand on n'en n'a pas fini d'être l'orphelin d'un père tué par la guerre ?

Sa compagne, née d'un père qui la voulait de l'autre sexe, gémissait d'enfanter de cet autre homme qui lui refusait d'être mère et, se croyant indésirable parce qu'à jamais indésirée, reportait son histoire sur la nouvelle-née.

L'enfant de son côté s'essoufflait à naître dans l'adversité. Puisqu'elle refusait d'en finir avant de commencer, elle vivrait. Elle survivrait.

La mère la déposa, dès ses premiers jours, dans le foyer de l'homme premier qui avait ruiné sa féminité, histoire de lui faire l'affront d'une autre petite fille.

Le baluchon fut ainsi recueilli, accueilli jusqu'à ce que les grands-parents meurent, laissant la fillette doublement orpheline.

De cette enfance, la petite mûrit en accéléré. À neuf ans, elle retrouva sa mère incapable de l'être parce qu'interdite d'être femme. Elle devint jeune fille. Un homme lui confia son amour pour elle. Un fils d'une famille de sept filles centrée sur la mère. Le père s'adonnait à sa dépendance fatale : l'alcoolisme.

Ils s'épousèrent. Tous deux, sans modèles de pères, eurent un enfant pour qui ils étaient des parents manquants mais aimants. Bien sûr ces parents-enfants se quittèrent.

Elle continua sa quête. D'amour ou de père ? Ô miracle, elle trouva l'homme père pour son fils et pour elle-même. Doux moments. Sa « petite » morte-née put percer et se laisser choyer et grandir pour vrai. Alors il devint temps d'aller vers l'homme-homme dont elle avait besoin pour éprouver sa valeur de femme.

Elle rencontra le Prince. Elle l'aima de tout son être. Il l'aimait aussi. Il avait grandi dans une famille aimante et unie. Il avait pourtant connu d'autres vicissitudes. Des atrocités même. À l'heure où il pouvait se permettre d'être adolescent impénitent son père mourait des suites de la guerre.

À dix-sept ans, il prenait le siège vacant, s'occupant de sa mère, se mariant, ayant des enfants... De son mieux il perpétuait le modèle qui avait fait le tout de sa sécurité d'enfant.

Pourtant le rêve faiblissait. Le rêve tomba malade.

Mais le rêve durerait coûte que coûte. Le Prince mettrait la dame nouvelle à la place de l'infidèle et l'histoire guérirait. Doucement il s'occupa à transformer l'amante en mère de ses enfants et de lui-même. Ce fut l'erreur essentielle. Faut-il toujours reprendre où on en est resté, là où les obstacles trop énormes nous ont ravi notre liberté d'avancer ?

Il achoppait à ses dix-sept ans, à l'exact moment où son père l'avait laissé seul avec le devoir de devenir un homme. Ce fut de là qu'il dut repartir.

Elle fut démunie et remisée, observant sa vie du cœur s'en aller d'elle à lui sans pouvoir le retenir d'être cet homme inachevé. Seule, elle retrouvait les douleurs de son enfance d'abandonnée.

Tant et tant d'histoires vécues par des enfants grandis trop tôt, des adultes qui mûriront avec labeur, conséquences en partie de l'absence multiforme des pères et de la préséance des mères.

Si peu d'enfants eurent de vrais pères, si peu de pères eurent de vrais enfants pour comprendre leurs vicissitudes, parmi lesquelles les plus angoissantes furent peut-être les déchirures des séparations.

Il serait si bienfaisant pour les hommes actuels d'explorer les blessures de leurs pères, d'entrer au vif de leurs douleurs pour en ressortir éprouvant la compassion qui déplacerait sûrement leurs manques d'enfants vers l'expérience de la maturation.

Non moins nécessaire devrait être le besoin pour les femmes de comprendre leurs pères, pour voir l'image qu'elles en rapportent à côté de celle qu'elles reportent sur l'homme leur compagnon et père de leurs enfants.

À moins de devenir en quelque sorte le parent de notre père, avec la compréhension et la bienveillante acceptation que cela comporte, il ne peut venir en nous cette ouverture sur la réalité de l'autre ou sur la nôtre.

S'obliger à voir tout juste un peu plus grand que nous-mêmes ce qui est aussi nous-mêmes et le partager et le répandre et qui sait croître par cela même ? Curieusement dévorer les pages qui suivent ; y découvrir avec Lise Turgeon la complexité de l'âme humaine quand elle devient père — plus encore père séparé — ; l'observer sous l'influence de l'ex-compagne toujours mère de leur progéniture, à travers la participation de la réalité culturelle, sociale et des routines juridiques, l'empreinte des événements de l'enfance, le développement du fils en père, le conditionnement des rôles et la maladresse générale qu'ont les hommes à dire leurs désarrois et leurs attachements.

LE PÈRE SÉPARÉ : première étude, premiers jalons, premières réponses sur l'épreuve à vivre par les hommes pour être et rester pères dans la rupture des liens d'amour et dans le carcan des droits de rencontres avec leur enfant. Une réflexion à vivre pour longtemps.

Josette Ghedin Stanké

PROLOGUE

Au moment de mettre le point final à ce livre dont je rêve depuis des mois, je me sens comme au terme d'une longue gestation. Fatiguée, fébrile, heureuse mais inquiète aussi. Car une fois mis au monde, voilà que l'enfant m'échappe. Déjà il appartient aux autres qui l'aimeront, le critiqueront, le condamneront peut-être. Et tout comme c'est le cas avec Annie, Émilie et Marianne, mes filles, je devrai apprendre à vivre avec le poids de l'imparfait.

Tout au long de ce projet, je me suis interrogée sur le sens réel de ma démarche. Qu'est-ce qui m'a amenée, moi, une femme, à entreprendre ce plaidoyer pour les pères séparés ? C'est que cette épineuse question de la paternité ne concerne pas que les pères, bien sûr. Elle interpelle aussi les femmes qui sont leur mère, leur conjointe, leur amante ou la mère de leurs enfants. Elle atteint également tous ces enfants qui ont droit à leur père.

J'ai été une épouse. Je suis toujours une femme, une amante, une mère. Conduite presque malgré moi par mes interrogations et mes doutes, je me suis retrouvée clouée pendant des heures à mes livres et à ma table de travail à poursuivre une tâche dont je ne mesure pas tout à fait encore le véritable sens. L'idée d'organiser un groupe de counseling psychologique avec six pères séparés n'ayant pas la garde de leurs enfants s'inscrit au centre d'une démarche qui m'a prise tête et cœur.

À cette phase du projet, nous étions deux femmes pour entendre, pendant plus de trente heures, leur désarroi, leur colère, leur peur et leur résistance. À travers la narration simple et sincère de leur expérience, nous avons reconnu des mots et des sentiments très voisins de ceux de femmes et de mères séparées. Nous nous sommes reconnues. C'est pour témoigner de cela que nous avions projeté d'écrire ce livre, ensemble. Mais comme ma compagne a choisi de se retirer, j'ai décidé de faire route seule et de mener à terme cette douce folie dont elle avait été l'initiatrice.

Malgré toute la volonté que j'en ai, je ne suis pas certaine d'avoir réussi à tracer le portrait fidèle du père séparé. Je réalise combien il est utopique de prétendre définir en quelques traits communs un vécu dont les composantes relèvent d'une multitude d'influences. Il n'existe que des pères séparés et ce qu'ils ressentent et choisissent de vivre pour s'adapter aux circonstances pénibles de leur séparation ne peut être réduit à ce portrait-robot. Aussi révélatrice que puisse être ma réflexion, elle n'a d'autre prétention que de porter un autre regard sur une réalité dont la profondeur et la complexité peuvent échapper à la simple observation. Tenant compte du peu d'écrits sur le sujet, comment être assurée que je détiens le fin mot d'une histoire qui déborde la légende et sa traditionnelle conclusion : « Ils se marièrent, vécurent heureux et eurent beaucoup d'enfants » ?

Je me suis fait un point d'honneur de respecter les témoignages des six hommes du groupe. Il demeure que l'utilisation de leurs dires, *a posteriori*, comporte certains pièges liés soit à ma façon de les citer soit à l'interprétation que j'en ai proposée. Du reste, le but de mon intervention auprès d'eux n'était pas d'écrire un livre, mais de leur offrir un soutien qui leur permette d'améliorer la qualité de leur présence à leurs enfants, au moment de leurs rencontres.

Je n'ai pas non plus analysé la validité et les limites des études que j'ai consultées. Je me suis contentée d'y recueillir les observations et les conclusions qui me sont apparues pertinentes et révélatrices d'une situation qui conserve, encore aujourd'hui, une grande part de mystère. Tout compte fait, je suis consciente d'avoir disposé d'un réservoir de réactions possibles ou probables, sans que puissent être tirées des conclusions absolues et définitives.

Je souhaite tout de même que chaque lecteur trouve en ces lignes une émotion, un témoignage, une réflexion qui fassent écho à une dimension quelconque de sa propre réalité. J'espère aussi ne pas m'être trop éloignée de la voix du cœur, la seule qui puisse m'introduire auprès de l'enfant que chacun d'entre nous portons au fin fond de nous-mêmes.

Malgré l'inévitable solitude que suppose une démarche d'écriture, je n'ai pas été que seule. Et je tiens à remercier tous ceux et celles qui m'ont accompagnée dans la réalisation de ce rêve ou qui m'ont soutenue, quelque part ailleurs, dans les moments particulièrement difficiles de ma vie.

Je remercie tout particulièrement le Dr Yves Marcoux (D. Ps.) qui m'a dirigé dans la rédaction du mémoire de maîtrise dont j'ai tiré ce livre. Son attitude enthousiaste, son intérêt soutenu et son constant souci de respecter le côté personnel de ma réflexion ont ajouté au plaisir de réaliser ma recherche.

Merci également aux six pères qui ont bien voulu accepter que soient utilisés leurs témoignages. Il est fort probable que sans eux, ce livre n'eut jamais vu le jour.

Je tiens à exprimer à Marcel toute ma gratitude pour son engagement profond dans la relation qu'il développe jour après jour avec nos filles, Émilie et Marianne, et pour la coopération inestimable sur laquelle j'ai pu m'appuyer depuis le moment de notre séparation.

INTRODUCTION

« Il est plus facile pour un père d'avoir des enfants que pour des enfants d'avoir un père digne de ce nom. » Ce verdict, pour le moins sévère, tombe comme un couperet de la bouche de Jean XXIII et traduit les nombreuses difficultés rencontrées par les hommes d'hier et d'aujourd'hui dans l'exercice de leur fonction parentale. Mais aussi réaliste qu'il soit, nous pouvons être choqués par ce jugement et il serait justifié de nous demander ce qui inspire le plus le Père de l'Église : sa relation avec son père, son lien avec sa mère, ou son adhésion à la tradition judéo-chrétienne qui a institutionnalisé le clivage entre les rôles de géniteur et d'éducateur chez les hommes.

Devenir père signifie beaucoup plus, en effet, que le strict lien physiologique et relationnel d'un homme avec son enfant puisque c'est toute l'histoire de sa propre filiation qu'il doit remanier lorsque sa compagne porte SON enfant. Penser être père, parler en père ou se vivre comme père provoque l'émergence de tout le vécu émotionnel de la relation avec les parents ; c'est un face à face privilégié, parfois inquiétant, parfois rassurant, d'où naîtra une identité désormais déterminante et à partir de laquelle, du fils de son père, il deviendra le père de son enfant.

En peu de mots, et surtout entre les lignes, se trouvent posés quelques-uns des traits marquants de l'ampleur et de la complexité de la réalité paternelle. Si l'on admet que définir avec justesse et en toute justice le vécu de l'être-père passe obligatoirement par l'exploration de ses affluents familiaux, personnels et socioculturels, s'intéresser au père séparé ouvre sur une réflexion dont l'issue risque de nous mener bien au-delà de la stricte observation des faits et des émotions qui accompagnent habituellement le processus de séparation.

Bien que le questionnement profond portant sur la relation père-enfant remonte très loin dans l'histoire de l'humanité (la mythologie en est un exemple), on peut penser que le phénomène actuel de séparation et de divorce fait resurgir la question de manière plus dramatique puisque désormais les liens ne reposent plus sur la certitude d'une tradition familiale acquise et stable. Actuellement, les pères qui désirent obtenir ou partager la garde de leurs enfants doivent se battre avec acharnement pour sauvegarder un droit dont on peut impunément les priver. À l'heure de la contraception, de l'avortement libre, de la congélation du sperme et des manipulations génétiques, les hommes se voient acculés à l'obligation de redéfinir leur responsabilité parentale en dehors de ce pénis et de ce sperme devenus parfois bien accessoires. Ce dont il s'agit, semble-t-il, c'est plutôt de paternité consentie. Pour l'homme, le tout de la paternité se prépare et se vit dans sa tête. Geneviève Delaisi de Parseval, dans son livre *La part du père,* estime que : « Laisser gambader son imagination sur l'enfant à venir, rêver de lui, rêver même qu'on accouche de lui, c'est cela, cette capacité de fantasmatisation, qui fonde réellement l'attachement, l'amour, l'instinct maternel et paternel. »

Peu de choses ont été écrites à ce jour sur l'expérience du père séparé, alors que de nombreux auteurs se sont intéressés aux conséquences de la rupture conjugale sur les femmes et les enfants. J'ai aussi été frappée par la différence de langage utilisé pour traduire ce que vivent les uns et les autres. On admet volontiers qu'après la séparation de leurs parents les enfants soient malheureux, inquiets, déchirés, hostiles. Dans le même ordre d'idées, les mères sont décrites comme dévalorisées, déprimées, honteuses, humiliées, démunies.

Quand il s'agit des pères, le discours soudain change de ton. Selon les propos d'ex-conjointes, d'avocats/es, de journalistes, ils sont libérés, détachés, inadéquats, irresponsables. On les accuse de n'avoir aucun sens des réalités et de ne compter que sur leur mère, leurs sœurs, ou leur éventuelle compagne, pour assumer la garde. On dit aussi qu'ils réclament leur paternité alors qu'ils ne sont pas capables d'exercer leur droit de visites et que la majorité d'entre eux ne savent pas encore être pères.

Est-ce bien tout ? Comment un père est-il touché par cette perte, comment la vit-il, qu'en est-il de son deuil ? Comment se sent-il quand il voit son rôle de parent réduit à un droit de visites ou de sorties ?

Pour répondre à ces questions, il faut aller plus loin que les apparences, dépasser les faits observables, analyser les propos et rechercher les motivations réelles. Car il pourrait bien y avoir plusieurs versions à comprendre : celui qui laisse tout tomber n'est-il qu'un être méprisable et sans cœur, et celui qui se bat pour obtenir la garde totale ou partagée agit-il uniquement dans l'intérêt de ses enfants ?

Ce sont à ces aspects de la séparation que je consacre les pages qui suivent, dans l'espoir d'arriver à saisir au moins quelques nuances de la manière d'agir des pères. J'espère qu'à la lumière de ces réflexions, les hommes et les femmes reconnaîtront leurs droits et leurs besoins respectifs d'aimer et d'intervenir dans la vie de leurs enfants, indépendamment de leurs conflits réciproques. Chacun, dans cette aventure de la parentalité, a une place unique à occuper en même temps que le devoir de reconnaître la nécessité de la présence de l'autre auprès de leur progéniture. « L'enfant a besoin d'un père et d'une mère et si l'un ou l'autre fait défaut, la quête est inépuisable pour surmonter le sentiment narcissique de manque », dit la psychiatre Colette Chiland.

Départager les émotions liées à la perte de la conjointe de celles attribuables à la perte de l'enfant n'est pas chose facile. C'est même parfois impossible. Aussi faut-il cheminer prudemment. Grâce à des auteurs qui font autorité en la matière et à l'apport inestimable des données recueillies auprès des six pères séparés interviewés, j'estime être en mesure de tracer un portrait nuancé et honnête du vécu du père séparé.

J'ai adopté une démarche en trois temps qui correspond aux trois chapitres de cet ouvrage. Le premier, intitulé « **QUI EST LE PÈRE ?** », explore successivement les aspects historiques et socioculturels de la relation père-enfant, les concepts d'attachement et de paternité.

« **OÙ EST LE PÈRE ?** », substance du deuxième chapitre, rend compte du vécu du père séparé ou divorcé n'ayant pas la garde de ses enfants. Cette partie vise à éclairer la nature exacte de ce qu'il vit face à ses enfants quand éclate le lien conjugal.

Le troisième et dernier chapitre, « **TOUJOURS PÈRE** », introduit les éléments de réflexion suscités par les étapes antérieures et fait nécessairement appel aux données théoriques qui ressortent de la démarche traitant de l'attachement et de la paternité. Il y est question de lui, le père, d'elle, la mère, et de l'ensemble du climat socio-éducatif dont l'influence ne fait aucun doute.

QUI EST LE PÈRE ?

« L'homme du futur est incompréhensible si l'on n'a pas compris l'homme du passé. » Cette citation de Leroi-Gourhan exprime bien mon intention : aller à la recherche du passé de la relation père-enfant pour mieux comprendre ce qui est observable au moment où les modèles traditionnels volent en éclats.

I. Paternitude : réalité ou utopie...

La recherche de mots différents pour désigner une réalité qui, contrairement à la maternité, ne va pas de soi, révèle l'ambiguïté dans laquelle baignent encore les fondements de la relation père-enfant. On dira paternitude, paternage, primipère, père enceint, père psychologique, et chacun de ces mots aura la prétention de nommer mieux que l'autre ce qui jusqu'à maintenant demeure difficilement définissable : Qu'est-ce qu'un père ? Qui est le père ?

À ce moment-ci de ma réflexion, j'adopte quant à moi le terme « paternitude » qui me semble bien traduire l'amalgame heureux des attributs tenant à la fois de la paternité et de la sollicitude. Paternitude renvoie à l'affection, à la tendresse d'un père soucieux de s'occuper d'un être cher et porte nos espoirs bien au-delà des images séculaires des pères autoritaires et absents.

Que l'on parle de paternité ou de paternitude, ce qui intéresse vraiment ce n'est pas l'homme ni même l'enfant, mais un homme ET son enfant, de même que toute la complexité de leurs liens. En effet, qu'un père vive ou non avec son enfant, jamais le pont qui les projette l'un vers l'autre ne sera totalement coupé.

Chaque enfant a un père et tous les efforts déployés pour le lui faire oublier mèneront à l'échec ; taire à un enfant l'histoire de sa conception et de sa naissance, c'est en soi une manière d'en parler. Quant au père, malgré des comportements d'apparente indifférence, de retrait, ou même d'abandon, qui peut affirmer qu'il est exactement le même qu'avant ?

Une identité à redéfinir

Les échos du questionnement sur ce qui fait la spécificité d'être père sont nombreux et viennent de toute part et de tous les milieux. La montée fulgurante du nombre de séparations et de divorces est loin d'être étrangère à ce mouvement collectif de remise en question et, considérant le fait que dans la majorité des cas les enfants sont confiés à la garde légale de leur mère, on peut aisément comprendre que la séparation du couple entraîne des modifications majeures au sein de la relation père-enfant, le modèle classique étant celui de l'exercice d'un droit de visites ou de sorties.

Dans cette convention entérinée par le tribunal, le père a souvent peu ou rien à dire, ce qui ne va pas sans soulever chez un bon nombre d'entre eux un tollé de protestations. Aussi entendons-nous depuis quelques années une voix masculine criant à l'injustice et réclamant un droit qu'elle croyait acquis : celui d'être père. Ce désir, ils le disent de toutes sortes de façons et à toutes sortes de personnes et c'est dans le but de mieux se faire entendre qu'ils se rassemblent, aussi bien aux États-Unis qu'en Europe. Plus près de nous, au Québec, des groupes comme Centr'Hommes, Hom-Info et l'Association des pères séparés ou divorcés de Montréal se sont préoccupés ou se préoccupent encore de s'entraider dans la recherche de leur identité et la promotion de leurs droits.

En juin 1986, un colloque intitulé « Intervention auprès des hommes » a suscité une réflexion autour de thèmes divers : paternitude, nouveaux pères, etc... L'émission de Radio-Québec, « Droit de parole », a proposé en mars 1986 le sujet suivant : « Les hommes veulent-ils vraiment être pères ? » Guy Corneau, un analyste junguien, a prononcé une conférence à l'Université Laval en septembre 1986, intitulée « Les hommes et le père manquant ».

Il existe donc bel et bien une réflexion et on constate qu'elle ouvre plus souvent qu'autrement sur une inquiétude qui rend compte de la perte dont est tributaire la relation père-enfant après la rupture du lien conjugal et du désir de repenser les termes de la paternité elle-même. Une telle démarche conduit inévitablement à sortir du passé quelques vieux rôles oubliés à l'aide desquels il est possible d'illustrer les influences historiques et sociales responsables des nombreuses variations survenues dans les familles d'hier et d'aujourd'hui.

Du Pater Patriarcas au Nouveau père

Les changements apparus au sein des modes de vie familiaux du Moyen-Âge à nos jours expliquent en partie la confusion concernant le rôle et l'influence des pères d'aujourd'hui.

Dans un article qu'il intitule « Les pères », le Dr D. Bouveret, chef de clinique à l'hôpital Necker, de Paris, trace les grandes lignes de l'évolution de la famille. Selon lui, de l'époque médiévale au XVIIe siècle, le souci de l'enfant ne ressort pas comme une préoccupation centrale et n'a pas la connotation profonde qu'on lui accorde aujourd'hui.

De fait, c'est au XVIIe siècle que s'amorce en Occident le grand tournant. Alors que l'autorité paternelle se centre sur la famille, les enfants de ce siècle sont considérés comme propriété et le mâle étant le seul autorisé à être propriétaire, il s'ensuit que ces derniers relèvent automatiquement de l'autorité du père. Dans les communautés de la société américaine de cette époque, le père demeure engagé dans les projets, réussites et échecs de ses fils. Parallèlement, jusqu'à la fin du XVIIIe siècle, la garde des enfants accordée par le juge va majoritairement au père.

Le XIXe siècle voit éclore l'âge d'or de la vocation maternelle dont les femmes portent encore aujourd'hui le prestige et les préjudices. La mère se retrouve chargée de l'éducation et des apprentissages scolaires, alors que l'homme devient père à temps partiel, particulièrement si son travail l'éloigne de son domicile. Ce dernier fait introduit la conception du rôle de pourvoyeur et consacre le salaire comme témoin de sa valeur et de sa force de caractère. Dans ce contexte, on ne peut passer sous silence la notion de pureté attribuée à la mère, gardienne des valeurs familiales, par opposition à celle de père destructeur et agressif, par suite, sans doute, du rapprochement établi entre l'homme et son milieu de travail (usine) souvent considéré comme un lieu de perversion. Une fois encore, les décisions juridiques reflètent l'évolution sociale et, au fil des décennies, on observe la consécration progressive de l'influence maternelle :

— 1810 : la mère s'occupe des jeunes enfants ;
— 1830 : la mère se voit confier les filles ;
— 1850 : la mère est considérée plus apte à s'occuper des enfants et à en avoir la garde ;
— fin du XIXe siècle : la mère est plus apte à élever les enfants.

Cette rétrospective nous conduit aux portes du XXe siècle qui sera, entre autres, celui de la dénonciation. Déclin, déchéance, démission et carence sont des mots de plus en plus utilisés pour décrire les pères d'aujourd'hui. Ce jugement sévère concerne également la société et la civilisation qui les engendrent et repose la question dans toute sa complexité : Qui est le père ?

Telle que décrite jusqu'à nos jours, la famille offrait aux historiens aussi bien qu'aux sociologues et autres spécialistes une réalité concrète, stable malgré l'évolution dont elle avait été l'objet au cours des siècles passés. Il était alors possible de la décrire, de définir les rôles de chacun de ses membres. Les enfants pouvaient tout à loisir adopter ou rejeter les valeurs de leurs parents quand ils devaient à leur tour accéder à la fonction parentale. Les modèles étaient disponibles, à chacun d'en disposer.

Aujourd'hui, toute la tradition est bouleversée. La réflexion et l'observation portent à croire que deux facteurs principaux sont responsables de la vague d'intérêt que soulèvent présentement les relations pères-enfants : le renversement des rôles parentaux dont le mouvement féministe est un des moteurs et l'accroissement phénoménal du taux de divorces. Dans la revue *Psychologie* de novembre 1979, le psychiatre Mel Roman et le journaliste William Haddad soulignent que les mouvements de libération de la femme ont rendu les hommes plus conscients de la place qu'ils occupent à part égale dans la vie de la cellule familiale. Ces auteurs font valoir que la situation du divorce provoque d'importants changements dans la conception que les pères ont de leur rôle. « Je pense que les choses sont en train de changer, déclare un juge, parce que les pères réalisent qu'ils ont des droits égaux sur la garde de leurs enfants. »

Ces deux facteurs sont d'ailleurs étroitement liés par une conséquence commune : la disparition des repères traditionnels, à la suite de quoi l'ensemble des rapports familiaux doivent être réinventés. À l'époque fleurie où la mère assume d'emblée le rôle d'éducation et de pourvoyeuse d'affection, alors que le père investit la plus grande partie de son énergie au soutien financier de sa famille, point n'est besoin de cogiter longuement sur la place du père auprès des enfants : il est l'autorité et le pilier de la famille et où qu'il aille, ils iront. Et si d'aventure il doit partir sans eux (ou simplement s'il le veut ainsi), ils seront là à son retour, tel un noyau gardé fidèlement intact grâce à la vigilance de la mère.

Mais voilà que ce qui était si bien établi hier tourne brusquement : les femmes sortent de chez elles, incitant leur conjoint à y entrer, à partager avec elles les tâches ménagères et le soin des enfants. Le voilà du coup réintégré dans sa famille, invité à « vivre » la grossesse, à participer au travail de la naissance, à « materner ». Même les livres d'éducation se préoccupent de lui désormais, soulignant l'importance de sa contribution affective et éducative. Plusieurs relèvent le défi : de là naissent des expressions comme « l'homme nouveau » ou les « nouveaux pères ». Selon la psychiatre Colette Chiland, dont j'ai déjà parlé, ce mouvement de transformation de la paternité et de la parentalité n'atteint pas toutes les couches sociales ni tous les pays de la même manière. D'ailleurs elle n'hésite pas à affirmer que ces nouveaux pères ne représentent qu'une certaine fraction de la population et probablement une fraction relativement favorisée sur le plan socioculturel.

Quoi qu'il en soit, au moment de l'éclatement de la famille, certains d'entre eux protestent vivement parce qu'ils se sentent l'objet d'une injustice et qu'ils désirent sauvegarder la qualité de leur relation avec l'enfant. Mais s'il faut entendre ceux-ci, il faudra prêter une oreille tout aussi attentive à ceux-là qui se taisent, abdiquent ou abandonnent. Tel que je l'ai mentionné précédemment, on a peu écrit jusqu'à maintenant sur ce qu'a vécu le père séparé et le danger est réel de sombrer dans l'interprétation.

Mon souci étant davantage d'expliquer que de décrire les réactions d'un homme à un événement qui met en péril ce qui hier encore l'unissait à ses descendants, il m'est impératif de cerner « ce qui l'unit ». Indépendamment du sexe, hors des rôles sociaux et culturels, quels motifs poussent l'être humain à « s'attacher » aux autres représentants de son espèce ? Dans quelles conditions se lie-t-il ? Pourquoi certains refusent-ils de le faire ? Que se passe-t-il lorsque ces liens se brisent ? Autant de questions, autant de tentatives de réponses dans l'espoir de nommer plutôt que de juger, de comprendre plutôt que de condamner.

II. L'attachement, tel un enfant...

Pour se développer harmonieusement, un enfant a besoin de bien d'autres choses que de la simple intervention du hasard ou de l'air du temps. Il doit être entouré, soigné, touché, nourri dans une relation érigée sur la disponibilité physique et affective d'adultes fiables. Il en va de même pour que puissent éclore les liens d'attachement. Sans la mise en place d'un certain nombre de conditions minimales, dont une bonne moitié au moins relèvent de la responsabilité des adultes qui l'entourent, l'enfant ne sera pas en mesure de s'attacher avec confiance et sécurité.

Or, les conséquences de ce manque risquent d'être de taille si l'on considère que ce comportement de l'enfance servira de premier modèle relationnel et marquera, telle une empreinte, l'ensemble de la vie affective de l'adulte. Cette carence se manifestera vraisemblablement dans ses relations avec les pairs, dans ses rapports amoureux aussi bien que dans les liens qui l'uniront à ses enfants, ce qui permet d'affirmer que c'est souvent le passé des futurs parents qui les rend plus ou moins aptes à avoir un enfant.

Voilà pourquoi il me paraît pertinent et nécessaire de regarder de quelle manière un individu a expérimenté ses liens avec les premières figures d'attachement, de rappeler les conditions nécessaires à la création de ces liens ainsi que les conséquences de leur rupture pour comprendre l'étendue de l'impact de l'échec conjugal sur la relation de ce père et de cet enfant.

La naissance de l'attachement

On peut expliquer l'attachement comme étant une forme de comportement instinctif, par lequel une personne cherche à atteindre ou à conserver la proximité avec une autre, préférée et considérée comme plus forte et plus sage, dans le but d'assurer sa protection contre les dangers du monde extérieur. Pour l'enfant, ces dangers sont ceux qui jalonnent le quotidien : l'inconnu, la fatigue, la peur, et quoi que ce soit qui menace la disponibilité et la réponse de la figure d'attachement.

L'enfant qui voit ses demandes de proximité satisfaites avec régularité et promptitude grandit avec la possibilité de se construire une croyance en un environnement sans danger.

Les auteurs qui se sont intéressés aux comportements d'attachement considèrent que les liens intimes créés par les individus avec d'autres humains constituent l'axe central autour duquel toute leur vie s'articule, quel que soit leur âge : enfance, adolescence, âge adulte, vieillesse.

Semblable constatation permet de prévoir combien les expériences affectant l'attachement risquent d'être fondamentales et déterminantes, tant au plan du développement de la personne que sur l'ensemble de ses comportements ultérieurs, dont celui de s'attacher ou non à ses enfants. De plus, le seul fait de parler de liens ou d'attachement fait sortir de l'ombre des états subjectifs à forte portée émotionnelle. En effet, la plupart des émotions humaines les plus intenses s'organisent autour de l'histoire relationnelle : « tomber amoureux », aimer quelqu'un, se sentir en sécurité, perdre quelqu'un, retrouver quelqu'un. On sait combien les tentatives ou la réussite d'un troisième partenaire pour entrer dans un couple soulèvent de résistance (jalousie) et que le désir de maintenir les liens affectifs en péril suscite très fréquemment des attitudes de nature agressive dont les manifestations vont de l'hostilité passive au meurtre passionnel.

Cette manière de voir l'attachement offre l'avantage d'ouvrir aux pères une voie que d'autres théories leur refusent, au nom d'un instinct réservé presque exclusivement à la mère. De fait, il est reconnu que ce n'est pas toujours la mère qui représente la figure d'attachement pour les enfants, le père ou des tiers pouvant aussi assumer ce rôle.

En regardant du côté des adultes, on constate que leurs modes d'attachement ressemblent à certains égards à ceux observés chez l'enfant. Mais il y a une différence essentielle : alors que l'enfant s'attache principalement à ceux qui prennent soin de lui parce que sa survie en dépend, l'adulte s'attache à des pairs qui ont pour lui une importance unique, centrale. Au lieu d'en attendre protection au sens exact du terme, il y puise un sentiment de force ou de confirmation de sa propre valeur.

Autre fait intéressant, les auteurs affirment que les liens d'attachement, une fois établis, sont quasi indestructibles et que le lien qui unit deux conjoints tend à persister alors même que l'amour n'existe plus. « Une fois qu'il s'est développé, l'attachement semble là pour durer. Même quand la relation tourne mal et que les autres composantes de l'amour disparaissent ou se changent en leur contraire, l'attachement continue généralement d'exister », écrit Robert Weiss.

Quoi qu'il en soit, si l'étude des comportements d'attachement des adultes entre eux ne résoud pas les interrogations concernant les liens qui se tissent entre le parent et l'enfant, il n'est pas inutile de prendre conscience de la force et de la durabilité du lien qui unit les conjoints l'un à l'autre. Ceci peut en effet expliquer le bouleversement dans lequel se retrouvent certains pères séparés et la difficulté de départager les émotions attribuables à la perte de l'ex-conjointe de celles appartenant à la perte d'une partie ou de la totalité de la relation avec leurs enfants.

En définitive, si l'on admet que les êtres humains se lient à leurs parents d'abord et à leurs pairs ensuite pour répondre à un besoin de sécurité, de protection ou d'appui, comment comprendre ce qui les pousse à s'attacher à leurs petits ?

Serait-ce que la capacité des parents de « prendre soin » est complémentaire du comportement d'attachement ? Le terme anglais *« care giving »* en plus de signifier le fait de procurer des soins physiques renvoie à la notion d'échange, d'écho profondément gratifiant qui peut être instauré entre l'adulte et l'enfant. Pour être en mesure de donner des soins convenables, il faut qu'existe chez le parent une forme de lien dont le but doit être autre que celui de se protéger, de se sentir en sécurité ou de rechercher une force motivant son action. Serait-ce que ce lien particulier donne un sens à notre existence ? Chacun d'entre nous a eu l'occasion de vérifier un jour ou l'autre combien la création et l'entretien d'une relation privilégiée peut devenir cruciale pour donner une signification à notre expérience et une direction à notre vie. Or, plusieurs adultes parlant de leur désir d'enfants ou de leurs enfants eux-mêmes s'expriment exactement de cette façon.

Dans l'établissement du lien entre le parent et l'enfant, la maturité de la personne tient une place prépondérante. Selon le psychologue Erik Erikson, l'adulte qui a franchi avec succès les différentes étapes de son développement dispose, à ce moment de sa vie, de l'amour et de la sollicitude nécessaires à l'intimité que suppose la relation parent-enfant. Dans le cas contraire, aucun contexte idéal, aucune conjoncture sociale privilégiée ne pourra remplacer les manques inscrits au cœur même du parent, ni définir et assurer à sa place un sens dont il est le seul détenteur. Le soin d'un enfant touche en l'adulte des besoins d'ordre supérieur comme ceux de l'amour, du sentiment d'être utile, de l'estime personnelle et de l'actualisation de soi.

Croissance et développement

Pour que les comportements d'attachement puissent se déployer entre le parent et l'enfant, il faut qu'existe la réciprocité. Ce mot évoque le rapport circulaire qui va de l'un à l'autre, stimulant chez l'un et chez l'autre le plaisir d'être ensemble. Ainsi l'enfant, par ses sourires, ses pleurs, ses rapprochements et ses vocalisations, stimule chez l'adulte le maintien de ses comportements protecteurs, affectifs et sociaux. Il est heureux de constater que tout ne repose pas sur le parent, mais qu'il est aussi nécessaire que l'enfant ait la faculté de reconnaître l'autre personne et de collaborer avec elle.

Une seconde condition nécessaire à la croissance des comportements d'attachement réfère à la prédominance des interactions sociales. Ce concept renvoie à la capacité de l'adulte de répondre avec promptitude aux demandes de l'enfant et à l'intensité de son engagement auprès de lui. Plus les interactions sociales sont nombreuses, plus le lien est susceptible de se développer.

La réciprocité et les interactions sociales, conditions essentielles à la croissance du lien, concernent le couple parent-enfant. De fait, sans une réponse positive de l'enfant aux interactions proposées, les sentiments de frustration et d'incompétence risquent de saper toute la motivation nécessaire à l'exercice du rôle de parent.

Contrairement aux deux premières, les conditions dont je parlerai maintenant ne relèvent que du degré de maturité de l'adulte. Pour qu'un enfant s'attache en toute sécurité, la figure d'attachement doit être une personne fiable, désireuse et capable d'offrir cette base de sécurité. Le pédiatre Berry Brazelton écrit que :

> « ...l'attachement et le maternage ne sont pas seulement une question d'amour ; ce sont des processus qui consistent aussi à apprendre à maîtriser sa colère, ses sentiments de frustration, son désir de démissionner de son rôle, voire d'abandonner son enfant. On peut aimer son enfant sur un simple coup de foudre, mais continuer à l'aimer est un apprentissage. »

Cette réflexion indique que les parents restés enfants peuvent difficilement offrir à leur progéniture les conditions nécessaires à sa croissance psychologique. On perçoit, en filigrane, l'exigence portée par ce rôle et le poids que l'enfance de chacun exerce sur l'issue de ses fonctions parentales. Cette façon de dire offre aussi une explication, sinon une solution, aux pères séparés pour lesquels les mots « colère », « frustration », « désir de démissionner, d'abandonner » prennent une acuité tout à fait particulière. Cela exprime aussi l'étendue de la difficulté à départager entre le rôle conjugal et le rôle parental. Ce n'est pourtant qu'à ce prix que le parent peut demeurer l'adulte fiable auquel l'enfant peut s'attacher en toute sécurité.

Le second qualificatif du « bon parent » fait appel au désir. Or, introduire l'idée de désir, c'est réfuter celle d'instinct. Il semble que « la grâce d'état », qu'elle soit véhiculée par les hormones ou par l'éducation, ne suffise plus tout à coup. Grand bien nous fasse ; c'est une porte ouverte aux pères, car si pour la mère, la participation physique au processus de sa « maternitude » évacue un peu trop rapidement la question de son désir d'être mère (avec un ventre qui lui cache les pieds, plus personne ne lui demande si elle désire être mère ; elle l'est), il en va différemment pour lui.

Le parent doit être une personne fiable, désireuse et capable disait-on, c'est-à-dire avoir les moyens, les ressources personnelles nécessaires. Il ne faut pas entendre en cela « perfection ». Brazelton, qui a beaucoup écrit sur les liens parents-enfants, invite les parents à bien se connaître, à s'accepter, à se donner la liberté de faire confiance à leur intuition plutôt que d'adhérer aveuglément à de multiples théories portant sur l'éducation.

Devenir parent, développer la capacité d'assumer le rôle parental, cela passe certes par l'histoire de sa propre enfance mais il faut bien reconnaître que tout ne se joue pas qu'à ce moment de l'existence.

Plusieurs auteurs identifient le temps de la grossesse comme un moment crucial dans l'éclosion de la parentalité. Les nombreux bouleversements émotionnels de la période de gestation sont reconnus par certains comme un élément de stimulation dans la création du lien avec l'enfant, aussi bien pour le père que pour la mère. Brazelton va même jusqu'à affirmer que sans l'énergie mise en œuvre par cette lutte d'ambivalence entre le désir de l'enfant et le désir de s'en débarrasser, le moteur de l'attachement ne serait pas aussi puissant.

Il est aussi admis que la naissance d'un enfant provoque chez les nouveaux parents de forts besoins de dépendance. Ces besoins, lorsqu'ils sont reconnus et acceptés, permettent de libérer les énergies nécessaires à l'adaptation. Accueillir ses propres besoins « d'être petit » » aide à percevoir l'importance d'un tel confort pour l'enfant.

Les sentiments de rivalité et de conflits qui surgiront entre les parents, au fur et à mesure que l'enfant s'éveille et grandit, risquent d'influencer la relation de diverses façons. S'ils sont compris à leur juste valeur, loin d'affaiblir l'attachement des parents l'un à l'autre, ils le renforceront. À l'inverse, la présence de l'enfant peut être vécue comme un « séparateur », chacun des parents se préoccupant de réparer par cet enfant les conflits et les drames de sa propre enfance. Il s'ensuit que le couple s'installe dans une rivalité active ou passive où personne n'a rien à gagner.

Le facteur temps constitue un allié précieux et nécessaire pour l'adulte en voie de devenir parent. On observe généralement beaucoup d'agitation en lui au cours des quatre premiers mois suivant la naissance, alors que l'enfant est en pleine phase d'adaptation. À ce stade, les exigences de la tâche dépassent de loin les gratifications. Il importe pourtant de ne pas fuir, de ne pas abandonner pendant cette période difficile afin d'accéder à la suivante, plus réconfortante, où l'enfant sourit, gazouille, roucoule et fait le délice de ses parents. Car si la première phase, ingrate s'il en est, n'a pas été vécue, le parent ne sera pas en mesure de reconnaître la naissance du comportement social chez son enfant comme étant le fruit de sa participation, comme une gratification personnelle. À l'inverse, quand le parent assiste à la naissance de la réciprocité, son attachement à l'enfant se trouve renforcé par l'émergence des sentiments d'estime de soi et de compétence.

En somme, nous pouvons dire que les liens d'attachement parents-enfants se créent à partir d'une réciprocité investie dans le plus grand nombre possible d'interactions sociales. La présence dans cette relation d'un adulte fiable, désireux et capable d'offrir une base de sécurité permet à l'enfant de grandir dans un environnement qu'il sait bon et sans danger pour lui et le rend apte à nouer, ailleurs dans son existence, des relations saines et satisfaisantes. Pour l'adulte engagé dans ce processus d'attachement avec son enfant, il semble que le meilleur gain consiste dans l'édification de sentiments d'estime de soi, de sécurité et de compétence en plus de la satisfaction de se voir reconnu et aimé de son enfant.

Dans une certaine mesure, comprendre la nature des liens d'attachement peut nous permettre de prédire comment se comportera le père séparé. Retenons principalement que l'histoire affective d'un père avec ses propres parents affectera sa capacité d'être en relation intime avec ses enfants, que son niveau de maturité psychologique influencera son adaptation à la situation de rupture et que les conditions prévalant à l'éclosion d'un rapport de réciprocité entre lui et ses enfants pendant la vie commune demeureront tout aussi applicables après la séparation.

Rupture et déchirement

Quand la rupture d'un lien survient dans la vie d'un enfant ou d'un adulte, qu'elle soit occasionnée par un décès ou une séparation, le processus déclenché au cœur de la personne suit à peu près le même chemin et passera nécessairement par des états de deuil et de chagrin.

Dans cette réflexion qui cherche à saisir la nature du chagrin d'un père privé d'une partie ou de la totalité de sa relation avec l'enfant, on ne peut négliger de garder en mémoire que cet homme est, dans la majorité des cas, un conjoint délaissé et qu'au moins une partie de ses réactions seront attribuables à cette perte. Il sera difficile de départager les émotions qui le lient à l'ex-conjointe de celles qui le lient à l'enfant, mais il est certain que sa relation avec ce dernier en sera affectée d'une manière ou d'une autre.

Afin de mieux comprendre, revenons à l'étude des effets attribuables à la perte d'un lien d'attachement.

Perte : réactions et sentiments

Les études entreprises auprès d'enfants d'âge préscolaire aussi bien que celles menées auprès de couples séparés ont démontré que ce qui est dramatique au moment d'une rupture est le fait de ne plus avoir accès à la personne significative, de ne plus pouvoir compter sur elle. Ce sentiment ébranle ce que l'individu a de plus précieux dans la vie : le sentiment de sécurité.

Les études auprès des petits fournissent de précieux renseignements et permettent de comprendre une partie des réponses adoptées par les adultes confrontés à une menace de rupture ou à une rupture réelle. De fait, les séparations survenues en bas âge, alors que l'enfant n'est pas en mesure de comprendre la notion de retour, soulèvent chez eux une gamme de réactions allant de la protestation au désespoir. Plus l'enfant est jeune et plus les séparations sont prolongées ou répétitives, plus les réactions auront de l'ampleur non seulement pendant et après la séparation mais aussi lors des séparations de la vie adulte.

Plusieurs auteurs admettent que l'angoisse ressentie par les adultes face à la séparation d'avec un être cher recrée pour eux les mêmes émotions que celles expérimentées dans l'enfance. La douleur et l'anxiété qu'ils éprouvent alors les font se sentir blessés et sans défense, comme des enfants.

Si la resurgence des émotions de l'enfance explique l'intensité des réactions à l'âge adulte, c'est dans la nature du lien unissant les conjoints qu'on en comprend l'origine. Ce lien, tout comme chez l'enfant avec le parent, signifie l'accessibilité à l'autre. Plusieurs individus pensent qu'avec le mariage, le conjoint leur est accessible en permanence. Cette conviction est certainement d'un puissant attrait pour le couple mais cause aussi beaucoup d'amertume au moment de la séparation. Elle provoque alors des sentiments d'insécurité et de vulnérabilité.

L'angoisse de séparation, avec ses manifestations de protestation et de colère potentiellement normales, peut être aussi vue comme constructive puisqu'elle est une tentative pour maîtriser un événement considéré comme insupportable. Cela peut prendre la forme d'une accusation car trouver quelqu'un à blâmer, même si cela signifie retourner le blâme contre soi, est un choix moins inquiétant que d'accepter que la vie est ainsi faite. D'autre part, ressentir de la colère contre l'autre permet d'être moins blessé par lui.

Cette perte est reconnue comme une source supérieure de stress. Certains auteurs définissent ce deuil comme la « rançon de l'engagement ». Il est une maladie affective adoptant plusieurs des traits d'une maladie physique, si on peut faire une telle comparaison : perte de poids et d'appétit, troubles digestifs, insomnies, palpitations, céphalées et états persistants de tension.

Tout ceci montre combien l'être est profondément touché, et dans toutes ses dimensions, puisque la perte menace son besoin intime de sécurité et affecte son identité et l'estime qu'il a de lui-même.

Conséquences de la perte sur l'identité et l'estime de soi

Le fait de ne plus former un couple peut être ressenti comme une amputation en raison des nombreuses attitudes, habitudes ou activités qui ne sont plus partagées avec l'autre et de la privation des bénéfices personnels et sociaux que valait l'association avec l'autre personne. Le statut, le rôle, la classe sociale ou l'appartenance à un groupe, chacune de ces caractéristiques par lesquelles l'individu se distingue ou s'associe, risque d'être atteinte par le processus de séparation.

Ainsi, perdre l'autre équivaut à perdre la moitié de soi : le statut de conjoint ou conjointe passe à celui de personne séparée ou divorcée ; le NOUS est remplacé par le JE, le NÔTRE par mon, ma, le présent réfère au passé, tout prend un autre sens. Les problèmes posés par une telle situation ressemblent à ceux vécus à l'adolescence alors que l'individu est confronté à l'obligation de s'identifier à de nouveaux rôles, de définir d'autres attentes et d'autres buts, d'apprendre un nouveau répertoire de solutions aux problèmes. Il peut en résulter beaucoup d'anxiété, d'insécurité et d'instabilité devant l'ampleur d'une tâche qui consiste non seulement à se forger une nouvelle identité, mais surtout à abandonner l'ancienne, ce qui est long et pénible.

Pour comprendre l'ampleur des retombées de la séparation sur l'identité et l'estime de soi, il faut comprendre les notions d'identification, de complémentarité et de réciprocité qui marquent la plupart des relations maritales aussi bien que celles des parents avec leurs enfants.

Alors que l'identification conduit à prendre pour soi certains aspects de l'identité de l'autre (qualités, facultés, succès, talents, etc.), la complémentarité permet à une personne de se sentir utile et valable. « Qu'est-ce que tu ferais sans moi ? » dit-on parfois avec contentement. Se sentir apte à remédier aux imperfections de l'autre peut devenir une composante essentielle de l'estime de soi. La réciprocité établit quant à elle un rapport circulaire par lequel prendre soin ou faire quelque chose pour l'autre correspond à le faire pour soi.

De fait, la perte d'un être cher emporte avec elle une partie de l'identité de ceux qui restent : ils savent ce qu'ils ne sont plus mais ne savent pas encore qui ils sont ni ce qu'ils valent. Ils sont entre deux « SOI ». Dans le cas d'une séparation ou d'un divorce, l'entorse faite au sentiment de valeur personnelle est accentuée par les disputes et les trahisons qui accompagnent souvent le processus de rupture, et par le sentiment de rejet qui en résulte.

Les premières données que je viens d'exposer sur les effets de la rupture des liens permettent de mieux comprendre de quelle façon la perte de l'être cher rejoint les besoins de sécurité et de protection tant chez l'enfant que chez l'adulte. On aura aussi compris de quelle manière l'identité personnelle et l'estime de soi des ex-conjoints en subissent les conséquences. Mais il demeure encore une zone grise : quels sont donc, pour l'adulte, les effets de la privation d'enfants ?

Réactions à la perte d'un enfant

Dans les études menées auprès de personnes endeuillées et hospitalisées, les auteurs reconnaissent que la perte d'un enfant peut provoquer un état de panique, surtout chez les mères. Cette réaction est expliquée par plusieurs à partir de la notion de réciprocité que j'ai déjà abordée antérieurement. Selon cette conception, il paraît plausible de croire que la perte d'un enfant dont on a pris soin prive le parent de son sentiment d'utilité et de valeur personnelle.

Ce regard n'est pas le seul possible, mais il paraît bien s'ajuster à ce que l'on sait de l'engagement maternel et paternel. On est alors en droit de croire que la force avec laquelle va se manifester le deuil (gravité des symptômes, durée et issue) sera partiellement fonction de la profondeur des liens d'interdépendance tissés entre le parent et l'enfant et de l'ampleur de la signification que l'adulte accordait à la place de cet enfant dans son existence.

Ces quelques réflexions montrent bien que vouloir mesurer l'étendue de la perte vécue par le père séparé nous mène à remettre en question ses liens avec l'enfant. Si ces liens sont potentiellement aussi forts chez lui que chez la mère, la rupture sera évidemment aussi douloureuse.

Ainsi, l'étude des conséquences de la rupture des liens affectifs nous apprend que les réactions de chagrin et de deuil résultent autant de la signification subjective de la relation que de la perte de la personne elle-même. Les sentiments de privation associés à la perte rejoignent les individus au cœur de leurs besoins fondamentaux et touchent des aspects déterminants de leur personnalité.

En ce qui concerne la perte d'un enfant, nous savons maintenant que le deuil est d'autant plus déchirant que le degré d'engagement dans la relation est élevé et que la présence de l'enfant a un sens dans l'existence du parent.

Après nous être attardés à comprendre mieux la nature des liens qui poussent les humains à s'unir les uns aux autres, le moment est venu de scruter ce que la relation père-enfant a d'unique.

À côté de la suprématie reconnue de l'instinct maternel, quelle place reste encore pour le père ? A-t-il quelque chose d'essentiel à transmettre à ses fils et à ses filles ? A-t-il besoin, lui, de cet enfant et comment ?

En le suivant à la trace, en plein cœur de ses retranchements physiologiques, psychologiques et sociaux, essayons de voir ce qui reste de « paternel » quand les masques de géniteur et de pourvoyeur sont retirés.

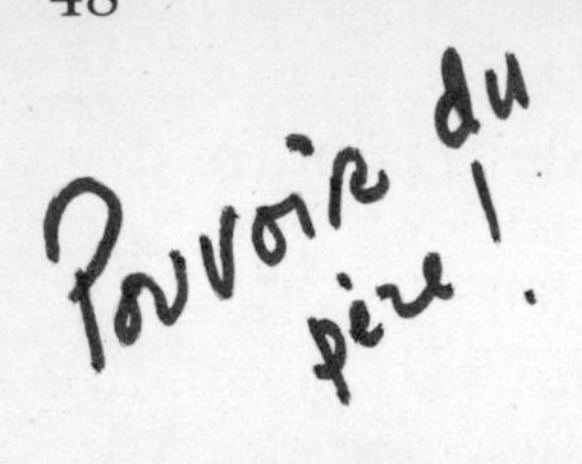

III. La paternité, au-delà du sperme et de l'or

Pour tenter de répondre à la question fondamentale « Qui est le père ? », de nombreux chercheurs, que ce soit en biologie, en ethnologie, en théologie, ou en psychologie, se sont penchés et se penchent encore sur l'analyse de la spécificité des liens paternels. Il va de soi que la nature de la contribution biologique de l'homme à la conception de l'embryon, à la croissance et à la nutrition du fœtus et plus tard à l'alimentation du nouveau-né, a de tout temps fait surgir la comparaison avec la mère. La première difficulté rencontrée est celle du doute ou de la présomption de la paternité.

S'il est vrai que la loi prévoit les modalités de reconnaissance paternelle, on ne peut nier tout le pouvoir que détient la mère à ce chapitre. Qu'elle décide en effet d'interrompre sa grossesse, de désavouer le père à la naissance de l'enfant ou ne pas le désigner comme tel, et voilà l'identité de l'homme-père réduite à néant. À l'instar de Bernard This, on doit se rendre à l'évidence que le fait d'être reconnu père dépend finalement de celle dont il partage la vie. C'est elle qui lui permet d'être père.

Le pédiatre et écrivain Aldo Naouri, dans son livre intitulé *Une place pour le père,* affirme que celui-ci ne peut occuper sa fonction que dans la mesure où deux conditions impératives se trouvent satisfaites simultanément, c'est-à-dire que la mère consente à lui octroyer ce statut, en l'introduisant auprès de son enfant par sa parole, ses gestes, ses actes, et qu'il accepte de l'être. Cette constatation à double volet, aussi brutale qu'elle puisse paraître, est présentée comme le recto et le verso d'une même réalité.

Mais avant de chercher à définir l'ÊTRE-PÈRE, il importe de s'interroger sur l'importance de la présence paternelle dans le devenir de nos filles et de nos fils. Les nombreux auteurs que j'ai consultés tendent à reconnaître l'influence déterminante de ce rôle parental sur l'issue du développement de l'enfant. La dynamique de la relation père-enfant paraît universelle, le père devant être l'adulte chaleureux et engagé qui aide l'enfant à se séparer de sa mère, le libère de la culpabilité qui se rattache à une telle séparation et le soutient dans l'édification d'une personnalité autonome.

D'autres chercheurs font ressortir l'aspect initiatique de la relation père-fils. Selon eux, l'enfant mâle a besoin de son père pour franchir harmonieusement les étapes qui le mènent vers sa vie d'adulte.

Bien que l'on fasse ressortir les effets positifs de la présence paternelle auprès des garçons, tant sur le plan cognitif (développement intellectuel, prise de décision, initiative) que social (capacité d'établir des relations significatives avec les pairs), il est généralement reconnu que cette influence affecte les deux sexes. Plusieurs études démontrent la primauté de la présence des deux parents sur la mise en place de l'identité sexuelle. On reconnaît aussi que le père, beaucoup plus physique que la mère, plus enclin au jeu et au corps à corps, contribue dans une large mesure au développement psychomoteur de l'enfant et stimule davantage l'exploration que ne le permet la mère, plus prudente et plus craintive.

Quant aux filles, c'est dans le dénouement de leurs relations affectives avec les hommes que se fera sentir tout le poids de la présence ou de l'absence du père. Il est aussi reconnu que la nature de la relation père-fille exerce une influence déterminante sur l'estime de soi de la femme adulte.

Quoi qu'il en soit, on peut retenir que les observations faites auprès de différents groupes d'enfants incitent à croire que la présence des deux parents s'avère indispensable au développement d'adultes équilibrés et que l'absence de l'un ou de l'autre risque d'avoir des conséquences néfastes tant sur leur équilibre psychosexuel que social. Certaines conditions sont toutefois nécessaires pour que ces bénéfices se réalisent. Encore faut-il que l'adulte, père ou mère, soit chaleureux, compréhensif, digne d'estime et d'admiration, engagé et présent.

Le père géniteur

Vouloir définir le père par sa seule participation à la fécondation pose un certain nombre de difficultés et propulse aussitôt à l'avant-scène la vieille histoire du doute paternel*. De fait, on doit bien reconnaître que la parturition est irrécusable alors que l'acte procréateur se produit dans la plus stricte intimité et

* Il existe, dans l'état actuel de nos connaissances, des moyens scientifiques d'affirmer que tel homme n'est pas le père. À côté de cela, certains tests sophistiqués permettent de *présumer* à 50 p. cent, 70 p. cent ou 90 p. cent de la paternité. Mais rien ne nous permet, actuellement, de confirmer la paternité d'une manière absolue.

réclame le témoignage de la mère. Force est d'admettre que rien jusqu'à maintenant ne réussit à prouver la paternité, ni même la parole de la mère qui est libre de désigner ou de renier le sperme qui l'a fécondée.

D'après Geneviève Delaisi de Parseval, le doute paternel a d'abord valeur de mythe puisque tous les hommes ne doutent pas et que les femmes ne sont pas forcément rassurées sur leurs capacités maternelles, en dépit du fait qu'elles vivent la grossesse et l'accouchement. On peut donc conclure que si le doute touche différemment la mère et le père, il risque d'affecter de semblable manière la réalisation des fonctions parentales. Toujours selon cette auteure, le doute paternel naît en partie de l'influence de la tradition judéo-chrétienne qui introduit la conception du père à double face : le père d'appoint, protecteur et nourricier, le père tout-puissant, asexué et lointain. La mythologie grecque est aussi désignée comme autre responsable de l'entretien du doute, les histoires conjugales et amoureuses y étant essentiellement affaire de reconnaissance paternelle. Madame de Parseval souligne : « En Occident, le doute paternel opposé à l'évidence maternelle se joue sur une base physiologique simpliste qui n'est nullement soutenue sur le plan du fantasme. Il y a en effet une extraordinaire similarité des fantasmes des hommes et des femmes face à la procréation. »

Toutefois, les manipulations médicales actuelles en matière de stérilité offrent d'autres promesses sur ce plan. En effet, nonobstant le risque d'erreur ou de fraude, il devient facile d'affirmer dans des cas d'insémination artificielle ou de fécondation *in vitro* que tel homme est effectivement le géniteur. Mais cela fait-il de lui un père ? Philippe Julien, dans un article intitulé « Qu'est-ce qu'un père ? », fait la démonstration que la certitude biologique de la paternité ne donne pas la réponse à la question controversée du rapport réel paternité-filiation. Cet auteur doute qu'à partir du moment où l'on peut manipuler les cellules génétiques comme des objets, qu'à partir du moment où la fécondation peut être réalisée en dehors du rapport avec l'autre comme être sexué, qu'à partir du moment où le spermatozoïde peut réaliser sa fonction hors du sujet, on puisse encore parler de paternité en seul lien avec la fécondation. La question ne manque pas de pertinence et ne fait que confirmer une autre des limites de la biologie prise à témoin de pareille présomption.

Autre fait intéressant à souligner, culturellement parlant, celui qui est reconnu comme père n'est pas toujours le géniteur. Selon les sociétés, les fonctions dites paternelles peuvent être partagées en autant d'individus différents, faisant de l'un le procréateur, de l'autre l'éducateur. Chez les Todos du Tibet, il y a une femme pour plusieurs frères et le père est celui qui célèbre une cérémonie spéciale jusqu'à ce qu'un autre fasse de même et reprenne la paternité. Dans les lignées maternelles, le mari n'est qu'un géniteur insignifiant alors que chez les Guayakis, le mari principal est considéré comme le père sans être le père biologique. En d'autres lieux, comme chez les Muers d'Afrique orientale, les femmes stériles sont considérées comme des hommes et peuvent agir à titre de pères.

Mais au-delà de la fécondation, du doute, du mythe et de la culture, que peut-on dire encore du géniteur ? De nombreuses études ont mis en évidence que le corps et l'esprit d'un homme, du moment qu'il se sait procréateur, deviennent le siège de multiples changements venus faire écho à ceux qui feront bientôt éclater l'image de sa compagne. D'après Bernard This, si un homme et une femme sont amoureusement unis lors d'une grossesse, il y aura des modifications biologiques chez les deux parents. Si l'homme ne réagit pas biochimiquement, il y a possibilité que le couple se sépare dans les années qui suivront.

Dans notre société occidentale, il est de règle chez les anthropologues, sociologues et psychiatres de reconnaître certains symptômes physiques masculins comme intimement reliés à la grossesse de la partenaire. Ces symptômes sont désignés sous le nom de *couvade psychosomatique*. Ce phénomène serait l'équivalent d'un rituel semblable observé dans les sociétés traditionnelles et que les spécialistes distinguent de la manière suivante : la couvade pseudo-maternelle qui consiste pour le père à imiter les phases du travail, et la couvade diététique, dont la principale fonction est de privilégier un certain type d'alimentation dans le but de préserver l'enfant. Selon le champ de connaissances à partir duquel on les considère, on leur attribuera l'une ou l'autre des interprétations suivantes : marquer le lien et protéger l'enfant, contrôler les pulsions agressives contre l'enfant, le nourrir spirituellement, revendiquer pour le père son droit à la régression ou au désir d'être materné.

Plus près de nous, la couvade psychosomatique relève d'une symptomatologie physique banale, et se manifeste surtout par des problèmes d'insomnie, des troubles digestifs, une augmentation de poids, des extractions dentaires, des troubles des yeux, du nez et de la gorge. Ils surviennent principalement à partir du troisième mois et cessent avec l'accouchement. Geneviève Delaisi de Parseval explique le silence général de notre société sur ce type de comportements paternels par le déni social du corps du père avec, en contrepartie, la méconnaissance du phénomène par les pères eux-mêmes.

Psychologiquement, les bouleversements sont tout aussi nombreux et témoignent à la fois de l'ambivalence envers l'enfant à venir et des émois archaïques par lesquels un homme est assailli à l'idée d'être père. Dire ambivalence interpelle des sentiments d'amour et de haine, des envies de protection et d'anéantissement. Pareil débat prend racine au cœur même de l'enfant qu'il était et qu'il porte toujours en lui, avec plus ou moins de bonheur. Voilà que remontent à la surface, pêle-mêle, l'angoisse de sa propre naissance, le souvenir des pulsions incestueuses refoulées, le désir de détrôner les petits frères et les petites sœurs. Cette rivalité éprouvée par le père dans l'enfance et par rapport à la fratrie constitue, semble-t-il, le facteur le plus important à considérer pour comprendre la dynamique du vécu de la paternité.

La naissance d'un enfant symbolise aussi dans l'imaginaire la mort du père, vieux relent de l'ancien conflit œdipien : le nouveau père redoute pour lui, de la part de son propre fils, le comportement qui fut autrefois le sien envers son père. En regard de la procréation, les hommes et les femmes ont vraisemblablement un fonctionnement psychique identique. Si l'état de devenir-mère fait régresser la femme à la phase de dépendance orale qu'a comportée son développement psychosexuel, cela vaut aussi pour le devenir-père. Pour l'un comme pour l'autre, il y a donc à envisager, lors d'une grossesse, l'amorce d'un complet remaniement libidinal. La différence principale sera, une fois encore, d'origine sociale. Car si la femme est invitée à se dire, à se raconter, si on lui permet toutes les régressions souhaitées, il n'en va pas de même pour lui. Condamné à regarder sa femme, à la soutenir, à la protéger, il devra faire face seul à ses propres soucis et à ses plus angoissants questionnements. On peut reprocher à la société actuelle de laisser l'homme dans l'ombre, de refuser d'admettre qu'il puisse revivre, à la naissance de son enfant, les affres de sa propre naissance et de ne rien faire pour l'aider.

L'ambiguïté des états d'âme masculins en instance de paternité se manifeste aussi avec les « folies paternelles » et, de manière moins tragique, par certains comportements stéréotypés. Les premières, dites aussi « psychoses de la paternité », surviennent surtout chez les primipères et présentent un nombre important d'épisodes psychotiques qui se situent plutôt à proximité de l'accouchement. Quant aux comportements, ils s'articulent autour de quatre pôles principaux : bagarres et accidents (accidents d'auto, blessures sportives, disputes, abus d'alcool, etc.), fugues (évasions dans le travail, voyages d'affaires, séparations, tentatives de suicide, abandons d'emploi, etc.), peurs (craintes, angoisses) et activités sexuelles (conduites sexuelles déviantes, arrêt des rapports sexuels avec la mère, relations extraconjugales, etc.). Tous ces comportements sont plus marqués chez les primipères et cessent habituellement quelques semaines après la naissance.

Le géniteur ne se contente donc pas de prodiguer sa semence, il réagit semble-t-il de manière très active, quoique souvent inconsciente, au processus de la grossesse, et dans la mesure, rappelons-le, où la mère consent à le désigner comme procréateur. Sinon, rien de cela ne se passera. À l'inverse, on est en droit de croire qu'un homme n'ayant rien à voir avec la fécondation présentera le même potentiel de réponses physiques et psychologiques du seul fait qu'il se croit père.

On constate déjà que parler du père géniteur ne doit ni réduire à l'excès, ni généraliser à outrance un acte justement qualifié de reproducteur. Si ce terme échoue à rendre compte à lui seul d'un vécu complexe, il n'en demeure pas moins un des vecteurs principaux de la paternité. Être père, cela ne s'éjacule pas. C'est un état qui se construit avec du temps, de l'attention, de l'effort et du plaisir. Mais il serait malencontreux de vouloir nier l'importance de la symbolique du geste procréateur dans le développement du lien à l'enfant. Car si certains arrivent à s'en passer (parents adoptifs, hommes stériles), d'autres y tiennent beaucoup. Voici quelques phrases qui en témoignent : « On ne se sent vraiment totalement responsable que d'un enfant qui est le sien biologiquement », « La paternité, c'est quelque chose comme les liens du sang ; un enfant, c'est un véritable miroir, on y retrouve ses caractéristiques physiques, son caractère, on se reconnaît en lui ».

D'autres auteurs vont dans le même sens lorsqu'ils affirment que le père occupe une position importante dès le moment de la conception : « Il doit y être pleinement, car des enfants conçus sans pénétration peuvent donner lieu à un sentiment de n'être pas parents. » Ce qu'il importe de reconnaître en fin de compte, c'est que la paternité peut passer par la voie biologique mais que cet aspect de la filiation ne saurait satisfaire à lui seul les espoirs et les rêves des enfants. Voilà pourquoi certains hommes choisissent, pour désigner leur père, un homme avec qui ils ont vécu une relation significative plutôt que de tenir compte de la filiation biologique ou du nom.

Le père pourvoyeur

La société dans laquelle nous vivons propose aux hommes des valeurs de performance, de compétition, de succès et de pouvoir. Être un homme jeune, au début de sa carrière, avec comme ligne de conduite les modèles observés dans son enfance ou chez les pairs, fournit la matière première du bon vieux père pourvoyeur. Aujourd'hui encore, le rôle attendu de l'homme-père est de maintenir la famille en tant qu'unité sociale. Le travail, la carrière deviennent alors sa principale préoccupation et c'est sur la base de la réussite économique et sociale qu'il doit édifier le sentiment de sa propre valeur.

Cette situation trace les grandes lignes des rôles masculins et féminins : l'homme poursuit la réalisation professionnelle et le succès financier au prix d'énormes coûts émotionnels et physiques alors que la femme vise un bien-être émotionnel au prix de sa propre réalisation professionnelle. L'homme remet rarement en question ce genre d'investissement. Pour lui, cela fait partie de l'ordre des choses puisqu'il a appris très jeune à se battre, à se durcir, à ne pas sentir pour mieux avancer. Ne pas se permettre d'exprimer ses émotions correspond à en nier l'existence. À ce jeu, l'intimité sous toutes ses formes se trouve évitée sinon évacuée puisqu'elle peut être considérée comme une menace à son indépendance.

Malheureusement, pareille attitude se répercute sur la relation père-enfant. Certains spécialistes formulent la conclusion que les pères hautement reconnus sur le plan professionnel sont plus susceptibles de se sentir inadéquats comme pères et inaptes avec leurs enfants d'âge préscolaire. La sexualité étant leur seul mode relationnel intime, ils se sentent maladroits dans toute situation où l'intimité ne justifie

pas la sexual[illegible] or-
dée socialem[illegible] n-
tage quotidi[illegible] ne
contraire à l[illegible] ue.

Certains [illegible] is-
sent que les [illegible] nel
contribuent [illegible] la
mère. Herv[illegible] *rti-*
tude d'être mè[illegible] ce,
une telle pu[illegible] ble
pour les ho[illegible] de
leur paternité. Geneviève Delaisi de Parseval et Eliza-
beth Badinter abondent dans le même sens. Pour cette
dernière, d'ailleurs, il ne fait aucun doute que les
nouvelles technologies de la reproduction annoncent
une nouvelle conception de la maternité. Ainsi peut-
on lire dans son dernier ouvrage *L'un est l'autre,* que
« la vraie mère serait moins celle qui lègue son matériel génétique, porte l'enfant et accouche, que celle
qui l'élève et lui donne son amour. Plus les impératifs
de la nature reculent et plus le concept de la maternité
se rapprochera de celui de paternité ».

L'ampleur des croyances en l'instinct maternel nuit
à la relation père-enfant en ce qu'elle interfère dans
la capacité de l'homme, ou encore dans son désir de
se faire confiance et de se donner le droit « d'être-
avec » cet enfant. Tant et aussi longtemps qu'il entretient l'idée qu'elle seule possède ce qu'il faut, qu'elle
seule sait, qu'elle seule peut, il adopte une position de
second. Il a aussi à combattre l'idée, très voisine de
celle de la suprématie de l'instinct maternel, que l'enfant a surtout besoin de sa mère. Mais le père n'est
pas le seul à douter de lui. Certaines femmes partagent volontiers cette opinion que l'enfant leur est
acquis de droit, ce qui les conduit, au moment de la

séparation surtout, à des guerres sans merci destinées à priver le père de l'accès à ses enfants.

Paradoxalement, si les mères sont en mesure de faire obstacle à l'éclosion du lien père-enfant, ce sont elles qui, au cours des deux dernières décennies, ont induit le plus de changements dans la nature de cette relation. C'est en effet sous la pression des attentes de leurs femmes que les hommes sont sortis de leurs rôles traditionnels pour en essayer de nouveaux.

Mais il arrive qu'une séparation ou un divorce change les règles du jeu établies pendant la vie commune et il n'est pas rare que les privilèges consentis au temps des amours soient brusquement rengainés au moment de la rupture.

Parlant d'instinct, peut-être est-il temps d'introduire la question de « l'instinct » paternel et de se demander s'il n'existe pas aussi chez les pères des indices de cette tendance naturelle, interne, les poussant à prendre soin de leurs petits.

Le père d'instinct

Encore là, point de conceptualisation sans référer d'abord à l'équivalent féminin. Ce n'est que récemment et non sans avoir consenti à remettre en question l'existence innée et irréfutable de ce fameux instinct maternel que s'est proposé timidement à notre langage ce terme d'instinct paternel pour désigner les comportements d'attachement et de sollicitude du père envers l'enfant.

« Il y a aussi chez l'homme un instinct paternel qui ne le destine pas seulement à être pourvoyeur matériel mais à vivre tout ce que l'enfant l'appelle à vivre avec lui. » Par ces mots, Maurice Champagne-

Gilbert souligne l'importance de la relation et de la réciprocité qu'elle engendre entre l'adulte et l'enfant. Mais si nommer une réalité est déjà s'en rendre maître, la question demeure de savoir si de tels comportements existent au-delà du hasard et de l'exception.

D'après les nombreuses recherches menées sur le sujet, il y a tout lieu de croire que les hommes, tout comme les femmes, disposent du potentiel physique et affectif nécessaire à la création du lien de filiation.

Parlant de la nature des réactions que vit un père qui assiste à la naissance de son enfant, bien des auteurs s'accordent à lui reconnaître un sentiment d'euphorie doublé d'une estime de soi accrue ainsi qu'une attraction incontestable, sorte d'envoûtement qui le pousse vers son nouveau-né.

À partir des études portant sur les comportements paternels dans les heures et les jours qui suivent la naissance, on est frappé de retrouver beaucoup de similitudes chez les pères observés quelle que soit leur classe sociale, qu'ils aient ou non suivi les classes prénatales, et assisté ou non à l'accouchement. Ils se montrent aussi intéressés que la mère à toucher, tenir, embrasser, explorer et imiter l'enfant. Peut-être même plus qu'elle. Cela ne signifie cependant rien d'autre que les faits observés et ne prédit d'aucune façon l'engagement futur du père auprès de son enfant.

Quelques mois plus tard, alors que l'enfant vieillit, on remarque que le père, comme la mère, réagit physiologiquement (élévation de la tension artérielle par exemple) aux messages de l'enfant, distingue les différents cris, interprète les pleurs et sait utiliser les signaux du bébé pour guider ses réponses. Il y a réciprocité entre lui et l'enfant, les vocalisations de l'un stimulant la réponse de l'autre.

En définitive, ce qui distingue le plus l'attitude de l'homme de celle de la femme a rapport à la nature de ses interactions avec l'enfant. Dans la plupart des cas, le père intervient moins que la mère dans les activités de base telles que nourrir, laver, langer mais se montre plus enclin au jeu et au corps à corps. Il semble toutefois que ce comportement soit plus d'origine sociale que biologique. De fait, lorsque la mère n'est pas disponible (travail, décès, maladie, séparation), la manière d'agir du père se modifie sensiblement et se rapproche du modèle maternel. De toute manière, le fait d'admettre que le père préfère les activités ludiques et physiques alors que la mère est plus à l'aise dans les dimensions éducatives n'exclut pas la nécessité de reconnaître que chacun d'eux influence le développement ultérieur de l'enfant et que la richesse de ces influences tient probablement de leurs différences et de leur complémentarité. Retenons également que la présence d'un enfant provoque chez l'homme-père, tout comme chez la femme-mère, une multitude de réactions nouvelles difficiles à mesurer et sans doute à départager. Au-delà des réactions physiologiques et des comportements observables que je viens de décrire, il y a aussi à reconnaître la mise en place de tout un remaniement psychologique que certains auteurs désignent comme la naissance d'un nouveau caractère. Certains hommes reconnaissent cette réalité intérieure et parlent de l'émergence en eux-mêmes d'un profond sens de responsabilité lors de la naissance du premier enfant. D'autres vont plus loin et expriment que le fait de se sentir responsables de leur enfant les a amenés à devenir plus responsables d'eux-mêmes, de leurs choix et de leur vie entière.

On voit qu'un grand nombre d'hommes disposent, comme bien des femmes, de ressources physiques, psychologiques et affectives sur lesquelles s'appuyer pour offrir à leurs enfants la base de sécurité nécessaire à leur développement et que les raisons pour lesquelles cette compétence potentielle est controversée s'enracinent dans l'histoire individuelle et sociale de chacun plutôt que dans des déterminants biologiques présumés.

Aldo Naouri nous livre cette touchante réflexion à propos des sentiments paternels :

> « Car il est bien question d'amour... d'amour de l'enfant qui ne se marchande pas, ne se référencie pas, ne se spécifie pas en fonction de la distribution des sexes. Un père n'aime pas moins bien son enfant qu'une mère, il ne l'aime pas autrement ou différemment. Un père, tout comme une mère, aime. Un point c'est tout. »

Le père de désir

Le DÉSIR. Ce seul mot, avec tout ce qu'il évoque de fantasmes, de promesses, de rêveries, de plaisirs défendus et de cœurs battants, offre une clé qui lèvera peut-être le voile sur la face cachée des pères.

Devenir père, être père, naître père et même « n'être père » tient pour une grande part au monde des fantasmes. Cette capacité pour l'homme de rêver de l'enfant, d'imaginer qu'il le porte, qu'il l'accouche, qu'il le nourrit est le fondement le plus sûr de son attachement pour lui. Cela exige une disponibilité à laisser émerger des images et des sentiments probablement très lointains de la représentation qu'il se faisait de sa masculinité. Il risque fort de rencontrer pour la première fois le côté féminin qui l'habite depuis sa bisexualité d'origine.

À partir du moment où un homme accepte le clin d'œil qui le sollicite à cette douce complicité entre ses pôles masculin et féminin, son sens paternel s'épanouit et aucune demande de l'enfant ne peut menacer sa nouvelle identité. Certaines études ont même établi que le père à personnalité androgyne montre plus d'intérêt, approche son bébé plus intimement, lui sourit, le touche et lui parle plus que le père qui se définit lui-même comme traditionnellement masculin. Si, au contraire, le père refuse de laisser s'exprimer sa polarité féminine, il risque de s'engager dans une guerre ouverte contre une partie de lui-même et de voir sa relation avec sa compagne se ternir à l'ombre de ses attaques ou de ses retraits : il peut l'envier, tenter de la supplanter ou alors lui abandonner l'entière responsabilité de leurs enfants.

Quelle est la véritable nature de l'assistance fournie aux pères dans nos structures médicales et sociales ? Chacun de nous a bonne conscience, depuis que ceux-ci accompagnent leur conjointe aux cours prénatals, qu'ils sont présents dans la salle de travail et d'accouchement ; mais ont-ils seulement été invités à partager leur grossesse à eux, leur accouchement propre ? Geneviève Delaisi de Parseval soutient à cet effet que bloquer culturellement toute émergence de fantasmes chez le futur père revient à le priver d'une partie de sa paternité et constitue un handicap sérieux dans l'établissement de la future relation père-enfant.

Au chapitre des fantasmes donc, tout n'est pas facile pour le père. Car la société et tous les autres, même très intimes, ne peuvent ouvrir en lui ou pour lui les espaces nécessaires au cœur, à la tête et au ventre pour accueillir pareil bouleversement. Il devra consentir à revoir son histoire, tuer des modèles, se tourner vers des paysages moins familiers. Il aura peur, il régressera, mais c'est là le prix à payer : tout ce qui naît fait mourir quelque chose.

Selon Hervé de Fontenay, la maternité repose sur une évidence biologique alors que la paternité ne s'appuie que sur un vulgaire supposé biologique. C'est ailleurs que l'homme doit bâtir son apprentissage de la paternité, sur la conviction et le désir de devenir père.

Le désir « évocateur de plaisirs défendus », disions-nous. Cette formulation, faussement anodine, désigne une réalité beaucoup plus délicate qu'amusante. Le plaisir défendu pour le père, c'est l'accès à une parentalité véritable, à sa place de père, pleine et entière auprès d'un enfant qu'il aura à son tour désigné comme son fils, comme sa fille. Si le fantasme est primordial au moment de la grossesse et de l'accouchement, la symbolisation prolonge auprès de l'enfant né la nécessité d'un geste à valeur de rituel : l'acte paternant. Ce n'est qu'en complétant par sa propre parole la parole de celle qui l'a d'abord nommé, ce n'est qu'en prenant place physiquement avec la mère et auprès d'elle au regard de l'enfant que cet homme s'engage dans le long processus du devenir-père.

Par ce geste, aussi nécessaire que lourd de conséquences, le père transcende l'acte procréateur et coiffe d'une parole responsable une liberté qui n'était encore que jouissance en lui donnant son nom, non plus comme un objet de fabrication mais comme le sujet d'un désir.

Occuper sa place comme père commence d'abord à l'intérieur de lui. D'autres combats viendront plus tard. « Pour devenir père, la première et indispensable condition, c'est de renoncer à être mère, de renoncer à être une autre mère », dit Aldo Naouri.

L'enfant a … non d'un quelc… ffrir une contri… pres différences… ient de l'enfant… rvé de Fontena… on : « Ma pater… su regarder m… ans passer par c…

Ce qui s… en malgré eux, … à la guerre des sexes. Que l'un cherche à s'introduire dans un espace qu'on lui refuse, ou à outrepasser des concessions tacitement convenues et la réplique promet d'être cinglante. Pour bien des femmes, l'enfant tient lieu d'objet qui lui confère un pouvoir (souvent le seul qu'elle ait d'ailleurs) et il n'est pas question d'en effectuer le moindre partage. Ce point soulevé est grave mais il prend tout son sens quand on voit l'acharnement et la fureur avec lesquels celles-ci tentent parfois d'invalider le père lors d'une séparation ou d'un divorce.

La transformation sociale de la structure familiale ne facilite en rien la démarche de l'homme dans la recherche de son identité de père. Ce rôle gagne en complexité à partir du moment où il ne suffit plus de transmettre prudemment les traditions. Nos pères actuels manquent de modèles et nos enfants manquent de pères.

Réinventer, redéfinir la relation père-enfant, signifie beaucoup d'insécurité, d'inconfort mais offre, en contrepartie, les promesses d'un rapport beaucoup plus réel. « Vient le temps de la liberté, c'est-à-dire de la responsabilité et de la solitude », note Montvallon. Moment crucial où le père est seul devant son enfant, pris entre le désir rassurant d'imiter la mère, de lui céder la totalité des droits et devoirs parentaux ou alors d'accepter de porter, pour le reste de sa vie, la responsabilité de cet enfant. « Personne ne leur a jamais fait comprendre que la liaison de la paternité était posée dès la conception et qu'à partir de cet instant ils n'étaient plus maîtres de l'accepter ou de la rejeter : qu'ils en demeuraient toute leur vie l'un des termes et que leurs fils ou leurs filles seraient toujours en droit de leur demander compte de la mission qu'ils avaient le devoir de remplir », remarque A. Rey-Herme.

Cela dit, et aussi pertinent que ce soit, rien n'est réglé. L'être humain, créature évoluée et intelligente, porte profondément inscrits en lui les bénéfices et les avatars de son évolution. Les animaux n'ont pas, eux, de problèmes existentiels de solitude et de liberté lorsqu'ils mettent bas. Ils ne traînent pas, eux, le souvenir douloureux d'absences et d'abandons survenus dans leur enfance, ils n'ont pas à se soumettre à des modèles sociaux pour éprouver un sentiment de réussite ou une recherche de sens, et quand ils abandonnent leurs petits, ce n'est jamais pour éviter de faire face à leur mal de vivre.

Pour que l'homme dépasse les angoisses de toutes sortes et de différents ordres auxquelles le confronte sa fonction de procréation, le désir promet d'être une voie royale. Hervé de Fontenay traduit fort bien toute la portée de cet acte typiquement humain : « Le désir d'avoir un enfant n'a pas de sexe. C'est justement du côté de ce désir d'enfant que nous devrions fouiller si nous voulons être capables de faire table rase de l'écran idéologique qui dicte pour notre société les paramètres tolérables de la paternité. »

S'introduire comme homme auprès de son enfant, d'abord et avant tout par le biais du désir, contourne le piège soulevé par la question : Qu'est-ce qu'un père ? Cette formulation est restrictive car elle oriente la préoccupation vers le rôle plutôt que vers la personne. Vu ainsi, être père se trouve réduit à l'adoption d'attitudes, de réponses dictées de l'extérieur, alors que désirer être père, être parent, tout comme être époux, ami, est affaire de relation et de lien. Ce que nous avons vu au chapitre de l'attachement parlait de temps à donner, d'intimité et de réciprocité. Ajoutons à cela une attitude de vérité et le tableau sera complet. Pour Maurice Champagne-Gilbert : « Être père, c'est prendre le temps... C'est le temps que l'on prend pour l'autre qui le rend important, celui que l'autre prend pour nous qui nous rend important. »

De géniteur à père, il y a un long chemin tracé dans le quotidien, un long chemin employé à créer un quotidien intime. Mais qu'est-ce donc que l'intimité ? Que peut-on répondre sinon que cela ne saurait se vivre hors de l'authenticité, de la vérité de la personne et de la relation. Il sera vrai ce père, s'il accepte de reconnaître sa tendresse, sa sensibilité, mais aussi sa colère et son impatience. À condition aussi de vivre sans vouloir être parfait, de prendre le risque de se tromper, de départager l'enfant de lui-même, de dire non à l'identification. Les enfants en formation ont besoin auprès d'eux de quelqu'un qui ne soit pas comme eux, ni copain, ni camarade, ni confident. L'enfant a besoin pour grandir de ce qu'il possède le moins : la maturité.

Désir et cœurs battants, symboles de l'engagement affectif et sensuel, d'une dépendance mutuelle forgée petit à petit entre un homme et son enfant, lien puissant et nourrissant pour l'un autant que pour l'autre. Lien qui perdure indéniablement tout au long de leur existence.

Il y a, certes, toutes raisons de croire que le père joue un rôle indispensable dans le développement de l'enfant et que sa contribution distincte et originale s'avère fondamentale tant sur le plan affectif que psychomoteur. Cette conviction pourrait bien être le pilier du désir et de l'engagement paternels. Car si tant de pères démissionnent, c'est qu'ils ne soupçonnent pas l'étendue de leur influence, refusent d'y croire ou préfèrent l'ignorer. En termes d'éducation, il y a ici beaucoup à faire.

Au plan des réactions psychologiques et fantasmatiques, pères et mères se rejoignent de façon étonnamment semblable. Les réponses physiques et physiologiques masculines à la grossesse, bien qu'induites par des mécanismes différents, en sont des évidences.

Je suis convaincue que le devenir-père, tout comme le devenir-mère, résulte d'un processus et que c'est à ce niveau précisément que le désir du père prend tout son sens. Même si la reconnaissance de paternité passe nécessairement par la parole de la mère, ce n'est pas le seul lieu, non plus qu'elle n'est pas seule à faire obstacle à l'établissement du lien de filiation. Le contexte social y joue un rôle de premier plan et ce n'est que par sa détermination à affronter ses propres schèmes masculins que l'homme aura enfin accès à l'être-père.

À tout prendre, on peut avancer l'hypothèse que la nature et la qualité des liens que le père aura sciemment consenti à créer avec son enfant avant la séparation se définiront comme les meilleurs indices de son comportement au moment de la rupture. Il sera non moins intéressant de vérifier si ces liens agiront, et dans quel sens, sur l'attitude de la mère à l'égard du père lorsque viendra le moment de négocier la garde des enfants.

Le chapitre qui suit est intitulé « OÙ EST LE PÈRE ? » Ce titre rend compte de l'opinion populaire selon laquelle des pères séparés ou divorcés se désintéressent de leurs enfants et refusent de faire face à leurs obligations morales et financières. Préjugé ou constat ?

OÙ EST LE PÈRE ?

La constatation des faits justifie malheureusement cette douloureuse question de l'absence du père au lendemain de la rupture conjugale. À voir certaines mères se débattre avec leurs propres bouleversements émotionnels et ceux de leurs enfants, en plus des nombreux soucis matériels découlant de la séparation, le jugement souvent nous échappe et condamne l'un à la seule observation du chagrin et de l'impuissance de l'autre. La révolte, ou parfois la colère, crée entre le père et les observateurs que nous sommes une barrière qui fait obstacle à notre capacité de l'accueillir, tel quel, avec son lot de confusion, d'ambivalence et de désarroi. Personne, ou presque personne, n'a encore osé lui demander ce qu'il ressent lorsqu'il voit son rôle parental réduit à un simple droit de visites ou de sorties.

C'est cette démarche que je me propose d'entreprendre maintenant. Et pour essayer de saisir le sens véritable de la réaction des pères à un événement qui risque de modifier en profondeur la nature de leur relation avec leurs enfants, j'ai choisi d'adopter un itinéraire à quatre volets que je nomme : **Au cœur de moi, Pour toi, Sans toi,** et **Contre moi.**

Au cœur de moi : découvre les conséquences de la brisure du lien sur le monde émotif, l'identité et l'estime de soi de l'homme-père.

Pour toi : met en lumière les réactions du père privé d'une partie de son droit parental et les difficultés, frustrations ou satisfactions entraînées par l'établissement d'un nouveau type de relation.

Sans toi : trace un profil des relations avec l'ex-conjointe et démontre l'influence que l'attitude de celle-ci peut exercer sur ce qui s'établira entre le père et l'enfant.

Contre moi : illustre de quelle manière le système judiciaire actuel peut boycotter le désir de coopération des parents et contrecarrer, pour ne pas dire décourager, les pères dans leurs efforts pour demeurer présents dans la vie de leurs enfants.

À chaque instant de ma réflexion, j'ai été préoccupée par le souci de demeurer le plus près possible du réel de l'expérience des pères séparés. Voilà pourquoi chacune des parties est construite à partir de deux sources. La première vient d'un large relevé d'écrits sur le sujet, l'autre du discours des participants du groupe de « counseling » psychologique dont j'ai déjà parlé au début de ce volume.

Ils étaient six hommes, au langage parfois agressif, souvent émouvant, six hommes entendus pendant plus de trente heures et qui ont accepté que soient dévoilés leurs dires et leurs émotions. Ils sont âgés de 24 à 52 ans, de statut économique moyen-inférieur, travailleurs manuels pour la plupart. Trois sont pères de deux enfants, trois autres d'un enfant unique. Tous ont été laissés par leur femme, la moitié depuis quelques mois, les autres depuis une période allant de trois à six ans. Tous ont participé volontairement et chacun d'eux est demeuré fidèle au groupe jusqu'à la fin des rencontres. Sur le plan juridique, quatre sont divorcés, l'un est à la phase des mesures provisoires et le dernier est séparé de fait. Appelons-les François, Jean, Paul, Denis, Pierre et Marc.

La parole de ces six pères séparés s'ajoute à mes mots et à la vaste documentation que j'ai réunie sur le sujet dans le but de dégager les contours de ces expériences vécues et de faire affluer le revers des apparences. Puisse cette association rendre à César ce qui appartient à César, tout en échappant aux solutions par trop simplistes qui consisteraient à couper la poire en deux. Car en matière de séparation et de divorce, rien n'est aussi peu probable que l'égalité. Tout au plus peut-on parler d'équité.

I. Au cœur de moi

Une perte d'affection, de quelque nature qu'elle soit, conséquence de la rupture conjugale ou autre, blesse la personne dans ce qu'elle a de plus intime et de plus fondamental : son besoin de sécurité, son identité, son estime d'elle-même et sa recherche du sens des choses.

En admettant qu'un homme séparé ou divorcé soit confronté à plusieurs pertes — sa femme et ses enfants —, on peut s'attendre à ce que cette épreuve marque profondément sa façon de négocier sa nouvelle relation avec ses enfants. Ce regard nous introduit d'emblée dans son monde intérieur, dans l'intimité de sa peine, de sa déception, de sa colère, en un mot, de son deuil. Tout comme la mort d'un proche, la séparation ou le divorce comporte dans son processus une succession d'étapes. Plusieurs auteurs ont écrit sur les phases du deuil. Celles que je présente ici sont proposées par Edward Dreyfus qui possède une grande expérience clinique auprès de pères séparés. Son observation l'a mené à identifier quatre phases, soit : l'état de choc, les pertes secondaires et les besoins de dépendance, le réaménagement des valeurs et des croyances, et l'adoption d'un nouveau modèle de paternité.

Les phases de deuil

La première, qui suit immédiatement la séparation, se caractérise par une réaction de crise, un véritable état de choc où l'anxiété, la dépression et des sentiments d'accablement et même de détresse traduisent la profondeur des émotions éprouvées. L'homme se sent désemparé, abandonné, impuissant et sans ressources. Jean, un des pères du groupe, s'exprime en ce sens :

> « *La journée où ta femme te laisse tomber, le plancher te glisse sous les pieds.* »

Cette étape, tout comme les suivantes, est plus pénible pour le père s'il n'est pas l'initiateur de la séparation. Dans ce cas, le refus d'accepter la rupture et l'entretien de rêves de réconciliation retardent la guérison de sa blessure. C'est le cas de François :

> « *Si Lorraine, ma femme, me disait : 'François j'aimerais bien reprendre avec toi', malgré toute l'agressivité, et même un peu de haine, je pense que j'accepterais.* »

La deuxième phase tourne autour des pertes secondaires et des besoins de dépendance. Il semble que la totalité de ce qui est perdu au moment de la séparation ait un effet aussi destructeur que la perte de la partenaire elle-même. Du jour au lendemain, tout bascule et la vie rangée d'hier s'effondre. C'est le chaos. Jean raconte :

> « *Elle est partie avec tout : 11 000 $ d'économies brûlées en frais d'avocat, 12 000 $ de ménage. J'ai perdu mon autorité mais j'ai surtout perdu mon enfant.* »

La première perte secondaire est celle de son foyer puisque la plupart du temps, l'homme quitte le domicile familial et que son chez-soi se trouve là où sont ses enfants. En plus des choses matérielles, c'est toute l'organisation physique du quotidien qui lui échappe et, pour ceux qui n'ont jamais partagé les tâches ménagères, le problème est de taille. Avec le sentiment d'errance qui accompagne ce déracinement, surgit celui de l'incompétence.

Plusieurs hésitent ou tardent à se réinstaller, soit qu'ils espèrent une réconciliation, soit qu'ils sont incapables de faire face seuls à ce nouvel état, soit qu'ils ignorent ce qu'il faut faire pour se créer un environnement répondant à leurs besoins.

Il n'est pas rare, dans les premiers temps du moins, de voir des hommes s'installer chez leurs parents ou chez des amis. C'était le cas de deux participants du groupe.

La perte de statut est une autre conséquence de la séparation et réfère à l'échec social. Le rôle du père gardien de la cellule familiale se désintègre dès le moment de la rupture alors que le niveau et le style de vie qui contribuaient à son image de succès tombent en chute libre du jour au lendemain. Qu'il ait cinq enfants ou n'en n'ait aucun, qu'il soit médecin ou ouvrier, jeune ou plus âgé, la séparation le remet en question au plus fort de ses certitudes. Écoutons François :

> *« À un moment donné, vous réagissez au divorce du fait que votre femme vous laisse du jour au lendemain, du fait que vous devez entièrement reconstruire votre vie. Ça va aussi dans le sens des valeurs morales. »*

Les circonstances entourant la séparation portent souvent, elles aussi, leur poids d'humiliation, ce qui accentue la lourdeur du stigmate social. Jean nous fait part de son expérience pour le moins pénible :

> *« Du jour au lendemain voilà ma bonne femme qui rentre au travail avec ce gars-là par la main ; ils arrivent dans l'auto qui était la mienne, ils*

arrivent à la même heure que moi ; je me suis senti humilié... je me disais : qu'est-ce que les autres vont dire ? »

Il en est ainsi de la perte des rêves et des fantaisies que l'on peut rattacher à la perte du sens de la vie. Les hommes, tout comme les femmes d'ailleurs, sont souvent prisonniers d'un scénario soigneusement écrit, programmé dès l'enfance, où la part de choix personnel occupe une place bien insignifiante. Tout devait se dérouler selon un ordre irrévocable et voilà soudain que l'éléphant fait irruption dans la boutique et brise en mille miettes la porcelaine fragile des espoirs. Rien ne va plus. Les hommes ne sont pas épargnés par ce massacre puisqu'une grande partie des divorces sont initiés par les femmes*. Il n'est donc pas étonnant de voir des sentiments de révolte et de colère alterner avec des états de dépression, scandant, tel un pendule affolé, une ambivalence qui les déroute.

C'est précisément à ce moment que risquent d'apparaître les besoins de dépendance. Cet état émotif, peu prisé dans le monde des hommes, ne trouve pas là meilleur accueil que dans l'ensemble de leur vie. Socialement investis d'une mission de force et de courage, on peut comprendre leur refus de s'épancher sur le sujet. Alors ils fanfaronnent, se donnent des missions ou s'interdisent l'expression de leurs sentiments négatifs. François entre dans ce profil : « *Ça fait mal mais ça c'est la vie, arrêtons de nous arrêter là-dessus.* » Il est l'optimiste du groupe, fait appel à la

---

* Statistiques Canada 1985	Requérants	Requérantes
— Au Canada :	22 887	39 093
— Au Québec :	5 249	10 545

pensée positive et à une espèce de *Flower Power* nouvelle version :

> « *J'essaie de communiquer ma joie de vivre, puis mon 'feeling', puis tout ce que je peux avoir en moi... J'ai commencé à faire ça en même temps que j'ai vécu mon divorce l'année passée. Je me suis retrouvé avec un surplus d'amour à donner. À ce moment-là, je me suis vraiment interrogé : 'Qu'est-ce qui se passe avec toi ? Est-ce toi qui a le problème ? Comment vas-tu régler ton affaire, parce qu'il faut que tu la règles, sinon tu ne vivras plus, tu vas te suicider, tu vas te jeter en bas du pont...' J'ai décidé d'essayer d'être positif et depuis six mois que je travaille dans ce sens-là, je peux dire que ça va bien, ça va même très bien, excellemment bien.* »

Si on peut voir en cela un beau témoignage de force et de détermination, il n'est pas exclu d'entendre en sourdine un certain désespoir.

Au chapitre de la confidence et du soutien, leurs partenaires se révèlent mieux nanties : ils les savent probablement entourées et secourues alors qu'eux-mêmes se voient contraints de supporter seuls le poids de leur désarroi, à défaut de quoi ils auraient à répondre de leur faiblesse, en toute humiliation. Leur meilleure issue, pour ne pas dire leur meilleure illusion, consiste souvent à rechercher la compagnie d'une femme qui leur sert à la fois de mère, de confidente, de consolatrice mais rarement d'amoureuse. Car pour un homme soucieux de développer un nouveau pouvoir, la femme qui a été témoin de ses revers n'est pas la partenaire idéale. Pour les hommes du groupe récemment séparés, cette recherche de femmes était très présente. On pourrait comprendre, à travers le récit de leurs conquêtes et de leurs exploits, l'ampleur du combat qu'ils menaient contre leurs doutes, leurs peurs d'être incompétents et la menace qui pesait sur leur virilité.

La troisième phase du deuil amène le réaménagement des valeurs et des croyances en fonction de la nouvelle réalité. La plupart des pères ne décident pas consciemment de ce que sera leur relation avec leurs enfants. Les pères divorcés doivent, eux, le faire, ce qui fait affluer la notion de « père de désir » précédemment évoquée. Les voilà donc confrontés, alors même que leur famille éclate, à une chose qui devrait être faite depuis des lunes. Peut-être cela est-il une chance, quand on pense à tous ceux qui ne le feront jamais... De fait, les difficultés de cette étape (arrangements pour voir les enfants, réorganisation physique et matérielle, pension alimentaire, sentiments de solitude, de tristesse, de colère et d'incertitude) les obligent à reconsidérer leurs valeurs sociales, leurs priorités, à poser des actes réfléchis et responsables. Maintenant que l'ancien script n'est plus valide, l'opportunité leur est donnée d'écrire leur propre scénario.

Bien que bon nombre d'hommes se soumettent au modèle prédominant (droit de visites et de sorties), d'autres rejettent le rôle stéréotypé du père divorcé et structurent leurs propres comportements. Les conséquences de cette transition sont loin d'être négligeables puisqu'elles marquent le début du processus de réorganisation. Jean, séparé depuis quelques années déjà, confirme :

> *« La journée où tu réalises que le plus important là-dedans c'est toi, là tu commences à remonter. La journée où je me suis dit qu'il était peut-être temps que je me paie quelque chose, que je me gâte un peu, je pense qu'à partir de là, j'ai recommencé à vivre. Il faut que je me reprenne en*

e conti-
us belle

n pourrait
qual où le père
adop é. C'est le
mom ns concer-
nant avec l'ex-
conjo quotidien
et la On peut
pressentir que les pères opteront pour l'un ou l'autre des trois modèles suivants :

a) Le père narcissique : préoccupé surtout par ses propres besoins, il expérimente la perte de sa famille comme la perte d'une possession et son engagement émotionnel envers l'enfant est superficiel et davantage en rapport avec son image publique.

b) Le père de fin de semaine : il vit dans deux mondes distincts, menant une vie de célibataire pendant la semaine et « jouant » son rôle de père durant les fins de semaine. Il n'exige pas plus que ce qui lui est consenti.

c) Le père célibataire : il reste père à tout moment, se sent responsable et s'engage dans les différents aspects de la vie de ses enfants. Être parent fait partie de sa nouvelle identité.

Identité, rupture et restructuration

Tous ces bouleversements articulés autour du deuil à faire de l'épouse, du foyer, des enfants, des rêves... se répercutent magistralement sur l'image que les pères ont d'eux-mêmes et de leur valeur personnelle. Privés de leurs anciens rôles familial et social à la même vitesse qu'on dépouille un lapin, ils voient leur identité se décolorer au fur et à mesure que le processus de séparation les oblige à poser les gestes qui les ancrent dans leur nouvel état de vie : quitter le foyer, se trouver un nouveau logis, répartir leurs biens, aviser les parents, les amis, les collègues de travail. Ils se plaignent de ne plus savoir qui ils sont. Ils se sentent déracinés et désorganisés.

Mais s'il est vrai qu'une séparation ou un divorce affecte la plupart des individus dans leur identité et leur estime d'eux-mêmes, on ne peut oublier que nombreux sont ceux qui à la suite de la période de confusion initiale retrouvent l'équilibre et le plaisir de vivre. Certaines caractéristiques de la personnalité semblent favoriser tout spécialement la capacité d'adaptation. Des études montrent que les individus les mieux adaptés possèdent des ressources supérieures au niveau de l'affirmation de soi, de la confiance personnelle, de la pensée concrète, de la créativité, de l'imagination, de l'esprit d'entreprise, de l'indépendance, du libéralisme et de la sérénité.

Les hommes et les femmes sont vraisemblablement affectés par la perte d'un lien affectif. Malgré les conclusions générales selon lesquelles les femmes se remettent plus difficilement d'une expérience de rupture, on doit prendre en compte une autre conclusion selon laquelle les hommes soumis au stress de la séparation, du divorce ou du veuvage courent trois fois plus de risques de développer des symptômes nécessitant une hospitalisation psychiatrique. Plusieurs hypothèses pourraient expliquer ce fait. Quant à moi, ce qui est significatif ici concerne la pauvreté des réseaux de soutien auxquels les hommes se donnent accès et les difficultés auxquelles ils doivent faire face dans l'expression de leurs sentiments de tristesse.

On pourra faire valoir qu'il y a ceux, manifestement moins souffrants, qui désertent le lit conjugal pour un autre plus doux et plus chaud. Même dans ce cas, prudence s'impose. Il serait bien aventureux de ne se fier qu'aux seules apparences, car si les attitudes demeurent du domaine de l'observable, il en va différemment des motivations. Ce qui peut être pris pour de l'indifférence et de l'irresponsabilité cache peut-être une douleur, une anxiété ou une culpabilité difficilement supportable.

Si l'état actuel de nos connaissances laisse soupçonner que cet homme en crise, confronté subitement à de multiples pertes (conjointe, relation avec l'enfant, foyer, statut social, rêves et fantaisies), surpris par des besoins de dépendance incommunicables et privé d'une partie de son identité et de son estime de lui-même, est bien mal venu de prétendre offrir à ses enfants le havre de paix dont ils ont besoin pour se développer, nous n'aurions ni tout à fait tort ni tout à fait raison. Mais serait-il, encore là, si différent de la mère qui réussit tant bien que mal à maintenir son bâtiment à flot en dépit des tempêtes ?

Et dans ce torrent d'émotions qui submergent l'homme séparé ou divorcé, est-il réaliste de vouloir départager les origines de son deuil entre personnes distinctes (ex-conjointe, relation avec l'enfant) ? Il serait certes fort rassurant de répondre avec précision à chacune de ces questions ; malheureusement, tout porte à croire que, là comme ailleurs, en matière de sentiments et de motivations humaines, il nous faut bien accepter quelques ambiguïtés.

II. Pour toi

Comment réagit un père à la perte d'une partie de sa relation avec son enfant ? Quels sont ses sentiments, ses difficultés, ses mécanismes d'adaptation, ses satisfactions ?

On accepte de plus en plus l'idée que l'enfant doit avoir accès à ses deux parents. Pourtant, même si la place du père a réussi à s'imposer au cours des deux dernières décennies, la réalité sociale cherchant encore à l'évincer au moment de la rupture remet au jour ce qui était demeuré dans l'ombre. En réalité, tout se passe comme si les erreurs ou les manques des pères d'hier marquaient de manière quasi indélébile le destin de ceux d'aujourd'hui.

Chagrin et désorganisation

J'observe autant que j'apprends par la documentation spécialisée combien des sentiments de culpabilité, de privation, de colère et de peur dominent le tableau du vécu émotif des pères séparés. Ce sont des manifestations du deuil qu'ils ont à vivre avec son cortège de malaises physiques et émotionnels.

Sentiment de culpabilité

Certains pères se sentent profondément coupables face à leurs enfants : coupables parce qu'impuissants à leur donner le genre de famille à laquelle ils avaient droit, coupables de leur peine, du temps qu'ils ne leur donnent plus, coupables aussi de ne pouvoir les aider alors qu'eux-mêmes se sentent si démunis.

> *« Moi, ça ne me fait rien d'endurer ce qui fait mal ; je peux endurer le mal qui me vient à moi. Ça c'est la vie, ça fait longtemps que j'endure, je suis habitué, mais quand on fait mal aux enfants, c'est pas pareil. »* (Pierre)

> *« C'est une situation qui leur est imposée. C'est une situation dont ils ne sont pas responsables ; ils n'ont pas demandé à venir au monde, premièrement, puis ils n'ont pas demandé à vivre ça. »* (Denis)

Paul raconte un événement qui l'a beaucoup touché :

> *« Moi j'ai été deux mois sans voir mon gars ; j'étais amoureux d'une fille qui trouvait que mon gars prenait trop de place. Quand je suis allé le voir à Noël pour lui apporter son cadeau... il avait les larmes aux yeux. Il avait un sourire, mais un sourire pour pleurer. Je vais te dire une chose : je suis sorti aussi vite, j'étais très mal à l'aise. »*

À la suite de cet événement, Paul est demeuré inquiet et peiné :

> *« Ce qui me fait peur moi, c'est de refaire ma vie avec une femme qui ne voudrait pas de mon enfant. Ça me fait vraiment peur. (Il relate à nouveau la séparation de deux mois et demi avec son fils.) Quand je me suis réveillé, j'ai réalisé qu'elle était en train de briser une partie de ma vie. Mais ça m'a pris six mois pour m'ouvrir les yeux. »*

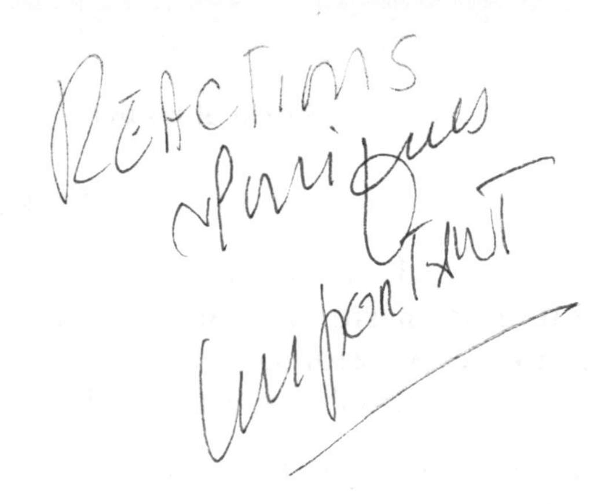

Sentiment de pr

La psychol[...]
pères souffrent
plusieurs année
garde exclusive

Parfois, le [...]
nant le père au
privé de voir so
demi par suite d
cet épisode :

> « *D'abord, je ne l'ai pas reconnu (...) Je me suis approché de mon petit bonhomme. 'Bonjour mon coucou, comment ça va ?' Là, j'étais incapable de me contrôler ; je me suis mis à brailler, à brailler... Ça m'a pris un bout de temps avant d'être capable d'aller le voir, de lui parler sans brailler...* »

Il ajoute encore :

> « *J'ai perdu ma femme et mon enfant. Je me suis rendu compte que je m'ennuyais plus de mon enfant que de ma femme.* »

Certains auteurs affirment qu'un parent fortement engagé, attaché et affectueux ne peut tolérer de voir ses enfants de manière intermittente et continue de vivre un sentiment de dépression longtemps après la séparation. Cela est d'ailleurs confirmé par d'autres études qui ont permis de décrire le « syndrome de l'enfant absent » où le père demeure dans un état dépressif ou anxieux, souffre d'insomnie, de difficulté de concentration, vit des états de panique pouvant aller jusqu'à la tentative de suicide. Il est désemparé, soucieux et inquiet au sujet de ses enfants. « Les hommes les plus tristes que j'ai connus, remarque un journaliste, sont ceux dont les enfants étaient hors d'atteinte. » Et de telles réactions sont observables même chez les hommes remariés ayant eu d'autres enfants.

Des sentiments de colère et d'hostilité résultent de ce sentiment de manque, de cette forte impression d'être privé, dépossédé de leurs droits les plus fondamentaux et de tout ce qui importe le plus dans leur vie. Et c'est habituellement la mère des enfants, la société, les juges et les avocats qui représentent le meilleur exutoire de ces pères en manque.

> *« Nos enfants, on les aime, mais on est révoltés. On est obligés de les laisser, on aime mieux les laisser. On ne peut pas se battre contre un juge. »* (Denis)

Marc, quant à lui, cherche à calmer sa blessure par une tentative de contrôle sur la vie de l'ex-conjointe :

> *« Le divorce, il n'en est pas question... pour les enfants (dit-il). Elle n'a pas le droit de coucher avec un autre gars, pas tant que les enfants sont petits. »*

François aussi est en colère :

> *« Quand tu divorces, elle veut t'écœurer jusqu'au bout. Elle l'a voulue la garde légale, elle l'a eue. Qu'elle l'assume ! »*

Pour certains, la profondeur du débat ne semble pas dépasser les simples enjeux de la bataille légale : gagner, avoir raison de l'ex-conjointe, avoir une revanche. Pour d'autres, il s'agit d'une rage viscérale, incontrôlable et durable. Dans un cas comme dans l'autre, le chagrin, sinon le désespoir, sert de carburant aux hostilités, bien qu'elles soient dans certains cas tellement dévastatrices qu'on a peine à reconnaître le chagrin qui les sous-tend.

Sentiment de perte d'influence

Les pères séparés se disent profondément insatisfaits de ne pouvoir influencer, comme ils le souhaitent, la vie de leurs enfants. Ils en arrivent même à s'éloigner d'eux pour ne pas trop souffrir et à se contenter d'une relation superficielle, basée avant tout sur les divertissements et les cadeaux. Ce sont les *Dysneyland Fathers*. Il a aussi été démontré que plus l'absence des enfants est longue, plus les pères se perçoivent sans influence et moins ils sont motivés à s'engager profondément avec eux.

Dans le groupe, ce désir de conserver un droit de regard sur la vie et l'éducation de l'enfant s'est clairement manifesté, de même qu'un certain sentiment d'impuissance sur la véritable portée de leur rôle :

> *« Mon rêve, c'est d'en faire un homme, pas un voyou ; tu as quelque chose de plus à donner à tes enfants en dehors de ton exemple. »* (Jean)

> *« Tu n'as pas à aller voir si ton enfant est bien avec le 'chum' de sa mère. De toute façon, qu'est-ce que tu peux y faire ? »* (Jean)

> *« Ton enfant te dit : 'Claude m'a battu.' Est-ce vrai ou pas vrai ? Qu'est-ce que tu peux faire là dedans ? »* (Jean)

> *« J'essaie de leur donner des notions de vie. Les petites choses de la vie, on les a apprises ; maintenant qu'on les sait, on essaie de les montrer à nos enfants pour qu'ils mûrissent. Si les valeurs transmises par l'autre parent ne conviennent pas, il faut que tu discutes avec l'enfant pour savoir pourquoi lui croit que c'est bien, puis avec quels gens il vit ça, en quelles circonstances, mais toujours en faisant attention de ne pas poser de questions pour jouer au policier, de ne pas poser*

de questions pour confronter ton ex-femme.» (François)

« Les enfants, il n'y a rien de plus manœuvrable que ça... il faut que tu sois vigilant. » (François)

« La pire éducation qu'on puisse avoir dans la vie, c'est de traîner dans les rues et moi, je ne voudrais pas que mon gars traîne dans la rue. » (Paul)

Pour Pierre, l'incapacité financière représente une perte d'influence douloureuse :

« Les enfants savent que leur père leur doit quelque chose, que leur père doit leur acheter certaines choses. Mes filles voudraient que moi je prenne la responsabilité de leur donner ce dont elles ont besoin. Chaque fois que je les vois, j'essaie de toujours apporter un petit cadeau. Ça me brise le cœur. C'est terrible de ne pas pouvoir les gâter. Quand un enfant ne reçoit rien de son père, son père rime à quoi ? Il se dit : 'Je n'ai jamais rien reçu de mon père, je ne peux pas compter sur lui ; il est faible... »

Il ajoute pourtant :

« De l'affection et de l'amour, je leur en donne ; je n'ai que ça à leur donner. »

Pour cet homme, l'échec de son rôle de pourvoyeur supplante le sentiment d'être présent sur le plan affectif.

Peur de perdre l'enfant

La peur de la perte ! Peur omniprésente et multiforme de tous les instants : Mon enfant voudra-t-il vivre avec moi ? Comment lui faire comprendre que je l'aime ? Que faire si le tribunal le confie à sa mère ? Peut-être suis-je en train de le perdre ?... Peur d'être rejeté, abandonné, comparé. Les pères du groupe en parlent ainsi :

> « *Il va arriver quoi avec les droits de visites ? Ça va marcher comment ?* » (Denis)

> « *Quand il va avoir 12, 14, 15 ans, il va venir voir papa. Ok., il va peut-être l'aimer mais il va venir voir papa, peut-être pour avoir 20 $ pour aller au cinéma, pour avoir la voiture...* » (Paul)

Paul est revenu sur le sujet à quelques reprises. À travers ce discours, il exprime son désir et une certaine urgence de préserver sa relation avec son fils dès maintenant : dans quelques années ce sera peut-être trop tard :

> « *Quand c'est fini avec ta femme, si tu coupes avec toute la famille, ton enfant va te le reprocher plus tard : 'Toi, le père, tu aurais pu venir me voir avant, je ne veux plus rien savoir de toi.' Tandis que si tu gardes le contact, tu peux espérer qu'à 16 ou 17 ans, il va t'aimer autant que lorsqu'il était petit.* »

Les appréhensions de ce père illustrent bien comment ce qu'il a vécu enfant influence ce qu'il souhaite être comme père :

> « *Moi, j'ai jamais eu ça l'amour d'un père... J'aurais pourtant bien aimé ça. J'aurais peut-être aimé qu'un père me prenne et me dise : 'Toi, tu t'assois là', puis me donne une bonne claque sur les fesses.* »

Denis exprime aussi son inquiétude :

« Les enfants c'est ingrat... Ça oublie vite... Moi je ne veux pas couper les ponts avec mon enfant. »

La présence de l'ami de la mère auprès de l'enfant nourrit chez le père l'angoisse de perdre son enfant :

> *« On a peur des réactions de nos enfants... En premier, ça me faisait mal au cœur, il parlait toujours de Roger comme si c'était son père. Son père c'est moi. Je me posais des questions. Ce bonhomme-là, il va peut-être s'imaginer pouvoir jouer au père avec mes petits... La seule arme que j'ai, c'est d'aimer mes enfants plus que n'importe qui sur la terre ; comme ça ils ne m'oublieront jamais. »* (François)

> *« Tu ne peux pas comparer l'amour que l'enfant a pour son père avec l'amour qu'il a pour le 'chum' de sa mère. »* (Jean)

Vivre sans ses enfants exige généralement une réorganisation personnelle et sociale fondamentale. Si la crise qui suit immédiatement la séparation est reconnue comme hautement porteuse d'angoisse pour le père, il en va de même pour tous les moments de rupture subséquents : après chaque séjour, chaque visite, la douleur de voir repartir son enfant ranime la peur de la perte, les sentiments d'échec et d'impuissance, la sensation pénible de vivre des deuils répétés. Il n'est pas rare que le père sombre dans un état de profonde dépression ou de panique. Toutes les fêtes symbolisant des souvenirs familiaux rajoutent beaucoup de tristesse et d'esseulement. Malgré cela, il est très important qu'il voit régulièrement ses enfants car cette régularité peut diminuer l'anxiété réciproque et la colère contre l'ex-conjointe.

On ne peut affirmer que l'ensemble de ces sentiments soient seulement attribuables à l'absence de l'enfant, mais on ne peut nier que des pères ressentent avec une vive douleur ces entorses à leur paternité. Comme l'écrit Aldo Naouri : « Les pères aiment, un point c'est tout. » C'est ce que Denis dit aussi :

> « *Quand je lui parle au téléphone et que je la vois, elle me manque un peu... je l'aime ma petite fille, je veux être son confident, je veux qu'elle sache que son père l'aime, je veux que ce soit important son père, je veux que ce soit important sa mère... Je veux lui donner de l'amour, de l'attention, de l'affection... Ma petite fille, présentement, c'est le centre de ma vie.* »

Toute cette avalanche d'émotions seraient sans doute plus supportables si les pères arrivaient à parler de leur monde intérieur. Mais ils manquent souvent d'amis intimes à qui ils pourraient se permettre de confier l'agonie qu'ils sont en train de vivre. Ils sont seuls, trop seuls et on peut penser qu'un nombre important de difficultés se résoudraient si seulement ils acceptaient de se raconter. Même à l'intérieur de notre groupe, la pudeur des sentiments est demeurée de règle jusqu'à la fin. Malgré le climat détendu, l'apparente ouverture des uns et des autres, les émotions exprimées gardent un caractère modéré. Par exemple :

> « *Malgré toute l'agressivité et* ***un peu*** *de haine aussi, c'est toujours* ***un peu*** *choquant... un divorce c'est idiot ; tu veux haïr, tu te forces pour ne pas haïr... Je suis séparé à peu près depuis la fin de septembre et, depuis ce temps-là, j'ai eu des hauts et des bas.* » (François)

François refuse de s'apitoyer sur lui-même. Il s'accroche à sa foi, à la pensée positive, à l'amour. Il lui est très difficile, voire impossible, de se laisser aller à son chagrin, à ses peurs, et il pousse le groupe à adopter sa philosophie :

> « *Je vous écoute depuis un bout de temps et je ne suis pas tellement d'accord avec l'agressivité, puis la haine. Les gars, si vous ne vous servez pas de votre tête pour progresser, c'est bien dommage, mais ça va être dur... Quand la séparation est arrivée je me suis dit : 'Tiens, je vais changer de* beat, *je vais changer de style. Essayez ça les gars.* »

Malgré leur retenue, la participation au groupe semble avoir permis de rompre l'isolement et apporté un certain réconfort :

> « *Nous nous réunissons une fois par semaine et ça me fait énormément de bien d'entendre les problèmes des autres ; j'ai senti que je n'étais pas tout seul avec ces problèmes-là. Ça a changé mon comportement, je vois les choses différemment.* » (Pierre)

En définitive, il semble que les nombreux bouleversements qu'impose l'échec du mariage aux modalités de la relation père-enfant suscitent des sentiments de culpabilité, de colère, de privation et de tristesse et que ces sentiments sont constamment alimentés par les séparations répétées qu'entraîne l'exercice d'un droit de visites ou de sorties.

En dépit de cela, il faut bien qu'ils réagissent et qu'ils agissent pour tenter de s'adapter à cet état de déséquilibre et de refaire une relation père-enfant qui corresponde aux changements qu'ils sont en train de vivre.

Une relation à rec

Comment le
l'enfant après la r
de leurs rapport
sur leur propre v
de visites et de s

Réaction et adapt

Lorsque la garde est attribuée à la mère, les réactions des pères sont essentiellement de quatre ordres : la démission, la revendication, l'abandon et l'enlèvement.

On constate que la plupart des pères démissionnent du rôle parental et se conforment aux indications stipulées dans le jugement. Plusieurs raisons motivent ce geste. « Quand nous avons l'impression que nos efforts ne produisent que frustration et impuissance, nous cessons d'essayer », disent certains. Pour d'autres, il est tellement évident que seule la mère a des droits sur l'enfant et la compétence pour en prendre soin qu'ils n'auront même pas l'idée (ni le désir) de demander la garde. Denis parle en ce sens :

> *« Moi, j'ai perdu ma mère à 18 ans, je veux pas qu'elle perde la sienne à quatre ans et demi... Les deux petites heures que j'ai, ça me satisfait. On passe du bon temps ensemble. »*

Il y a, bien sûr, tous les autres que cette décision arrange et soulage.

À côté de ce premier groupe, il y a ceux, moins nombreux, qui se défendent et revendiquent une meilleure place dans le quotidien de leur enfant. La formule de la garde partagée semble particulièrement populaire et répond aux besoins d'un nombre de plus en plus important de parents séparés. Mais encore faut-il que la mère y consente... sinon, ils devront avoir une volonté de fer, accepter de se bagarrer jusqu'au bout et disposer de moyens financiers substantiels pour arriver à s'imposer comme père à part entière.

Quelques autres fuient, s'enfuient, abandonnent, pour quelque temps ou pour toujours. Jean en a eu assez, un jour, de faire face à des conflits interminables avec l'ex ou avec le nouveau partenaire de celle-ci et il a décidé de prendre congé quelques semaines :

> « *J'avais envie de sacrer ça là et j'ai sacré ça là aussi... Ça fait trois ans que je me bats pour voir mon enfant. Ça fait trois ans qu'elle crie que c'est important la relation père-fils et que, par derrière, elle fait tout pour briser le contact père-fils.* »

Pour certains pères, il est plus facile d'oublier et de briser les liens avec le passé que de faire face à des circonstances qui les bouleversent. Ils cherchent à repartir à zéro et ailleurs.

Une dernière possibilité existe : l'enlèvement. Des centaines d'enfants le sont chaque année au Canada, surtout chez certaines catégories d'immigrants*. Mais ce délit criminel trouve assez peu d'adeptes chez les Canadiens de souche française ou anglo-saxonne.

Pour l'instant, reportons notre attention sur ceux qui tentent, tant bien que mal, de tirer leur épingle du jeu, et essayons de dégager ce qu'ils vivent lorsqu'ils doivent faire face à leur nouveau rôle parental.

---

* Pour des raisons culturelles, peut-être. Au cours des dernières années, de retentissants enlèvements sans issue pour les mères ont mis en vedette un certain nombre d'individus originaires du bassin méditerranéen, notamment d'Afrique du Nord.

Pour l [illegible] eau modèle de [illegible] défi de taille et [illegible] evra faire face [illegible] uble émotionne [illegible] le la même ma [illegible], par exemple, [illegible] e ses enfants p [illegible] lleur prédicteu [illegible] après la ruptur [illegible] milier avec les s [illegible] omes-tiques s'a [illegible] e céli-bataire. Conformément à ces [illegible] fil des pères qui ont la garde totale ou partagée de leurs enfants met en évidence la présence chez eux de traits de personnalité compatibles avec une grande capacité d'adaptation, soit l'autonomie, le sens des responsabilités, l'esprit d'initiative et la créativité, de même qu'un fort degré d'engagement auprès de leurs enfants et dans l'organisation du ménage avant la séparation. Les relations avec l'ex-conjointe sont marquées par un plus faible niveau de conflits.

À l'inverse, le père visiteur, ou occasionnel, présente des caractéristiques plus proches des valeurs traditionnelles. Ces pères, en effet, se montrent peu disposés à changer leur style de vie pour s'adapter aux besoins de leurs enfants. Ils ont tendance à adopter des horaires fixes, souvent rigides, sont soucieux de préserver l'exclusivité des moments passés avec l'enfant, privilégient les activités plutôt que la relation, se montrent mal à l'aise avec les petits en bas âge et sont plus en conflits avec la mère.

« Quand je les ai, la fin de semaine, je suis avec eux autres ; je me fous du monde. La Terre peut bien s'arrêter de tourner, on est trois, moi et les

deux enfants, puis on essaie de 'triper' ensemble. » (François)

« *Je me fous si je suis avec une autre femme. Mieux vaut pour elle de participer. Si elle ne participe pas, elle est malheureuse. Je suis totalement à lui. Je ne veux rien savoir des femmes avec qui je suis.* » (Paul)

Stades d'évolution de la relation père-enfant

On peut distinguer deux stades dans l'adaptation du père à sa nouvelle relation avec l'enfant. Dans les mois suivant la séparation, il a surtout besoin d'apaiser son sentiment de culpabilité et de s'assurer que son enfant ne le rejette pas. Mille et un comportements plus ou moins appropriés émergent : incapacité de dire non, refus d'imposer une discipline, maladresse dans le règlement des conflits, incapacité de se faire respecter... attitudes de perdants, bien sûr, qui ont pour effet d'exaspérer l'ex-conjointe mais aussi de maintenir la relation avec les enfants à un niveau très superficiel :

« *Pourquoi penses-tu que les pères s'occupent davantage de leurs enfants ? Avant, on les avait sept jours sur sept. Maintenant on les a peut-être 2 jours sur 15. C'est normal que la journée où on les a, on soit attaché à eux autres, totalement. Ils vont nous demander la Lune, c'est ça qui est dangereux, on va la leur donner.* » (Paul)

« *J'essaie de faire avec eux comme je fais pour moi : si je me dis oui, je leur dis oui aussi et si je dois leur dire non, je me dis non aussi.* » (François)

En agissant de la sorte, François se soucie de respecter ses enfants. Mais cette attitude pourrait être comprise comme la manifestation de son besoin pressant de se faire aimer ou d'une certaine panique à l'idée d'être seul, ce qui le porte à s'investir énormément. Il lui est difficile de prendre conscience des risques qu'il y a à traiter ses enfants comme des adultes.

À ce stade, les achats, les cadeaux, la multiplication des activités et des sorties sont souvent utilisés comme moyens de se garantir l'affection des enfants. Moins les pères ont de temps à consacrer à leurs enfants, plus ils ajoutent d'activités à leurs rencontres.

> *« Plus ça va, plus les enfants et moi nous sentons bien ensemble. Plus on passe de belles fins de semaines et plus on planifie la suivante : 'Qu'est-ce qu'on fait ? Aurais-tu envie de faire quelque chose ? Fie-toi sur moi, on va trouver quelque chose à faire... T'es-tu déjà ennuyé avec moi ? Non ? C'est pas aujourd'hui que ça va commencer. »* (François)

D'autres s'ennuient du quotidien, regrettent d'être absents quand quelque chose de difficile survient, de ne pas être là pour consoler d'un mauvais rêve, ou partager un chagrin ; même les disputes leur manquent. D'autre part, trouver une façon rapide et facile d'entrer en contact après avoir été séparé pendant plusieurs jours demande du temps et de l'expérience. Il leur faut apprendre à doser l'intensité du moment, à s'apprivoiser doucement, sans tout de suite parler de soi, malgré l'excitation ressentie.

> *« On ne les a pas souvent. Quand on les a, on capote, on vire fous, c'est comme quand tu tombes amoureux. »* (Paul)

Un autre facteur alimente le côté artificiel des rencontres : le fait que le droit de visites ne considère pas le nombre d'enfants dans la famille. Les pères déplorent leur manque d'intimité avec chacun, contrairement à ce qui se passe dans la vie de tous les jours.

Particulièrement vulnérable au début, le père séparé apprend progressivement à départager ses besoins de ceux de ses enfants. Au fur et à mesure qu'il acquiert une compétence à travers les tâches concrètes et physiques de tous les jours (baigner, nourrir, conduire à l'école), il gagne du terrain sur le plan émotionnel, se construit une nouvelle identité, différencie ses propres sentiments de l'expérience réelle de ses enfants. Il comprend avec le temps que pour bien prendre soin d'eux, il doit d'abord prendre soin de lui-même :

> *« La journée où tu réalises que le plus important là-dedans c'est toi, là tu commences à remonter. »* (Jean)

Ils accèdent ainsi au deuxième stade de l'adaptation, au cours duquel pères et enfants se détendent et retrouvent leur naturel. Ils cherchent de moins en moins à se divertir et de plus en plus à vivre le plaisir d'être ensemble. Ils acceptent et reconnaissent cette relation dans ce qu'elle a de particulier et d'unique. Jean, séparé depuis plusieurs années, semble y être parvenu :

> *« J'ai essayé de rester le même homme... Je suis aussi sévère et aussi permissif qu'avant... il faut savoir dire non aussi. Il ne faut pas que l'enfant pense que parce que son père et sa mère sont séparés, ça va être la fête tous les jours de la semaine. »*

Dans cette expérience, tout comme aux autres moments difficiles de l'existence, il faut savoir compter sur le temps. Mais cet allié seul ne suffira pas. Les pères qui ont réussi à maintenir ou à créer avec leurs enfants des liens solides et satisfaisants après la séparation savent ce qu'il leur en a coûté de patience et d'amour. Bien que cette deuxième phase annonce des jours plus calmes et plus sereins, toutes les difficultés ne sont pas résolues et le dénouement de l'histoire risque encore de surprendre.

Intimité et dénouement

Malgré un processus d'adaptation réussi, le ciel n'est pas nécessairement au beau fixe. Bien des pères se plaignent que le temps consacré à leur enfant limite leur propre vie affective et sociale. De fait, on constate que plus la relation du père avec ses enfants est régulière et suivie, plus il est porté à faire intervenir rapidement sa nouvelle partenaire dans leurs soins ou leur éducation. Les difficultés vont de pair. Jean vit une telle situation :

> *« Quand je vais le chercher le vendredi soir, c'est important qu'il soit avec moi... Par contre, le samedi matin, c'est important qu'il soit tout seul avec Johanne pour déjeuner. C'est là que se crée une connivence entre lui et mon amie. »*

> *« Il y a quand même un partage à faire. C'est bien beau d'avoir son enfant, mais tu as aussi ta vie de couple... il ne faut pas que tu abandonnes ta blonde non plus. Il faut être capable de t'organiser avec les deux. C'est ça qui est difficile. »*

À l'inverse, le père visiteur ou occasionnel considère que son enfant doit avoir accès à lui en tout temps. Il vit donc sa sexualité quand l'enfant est absent, spécialement si la relation avec la nouvelle partenaire n'est pas stable. Cette précaution vise à préserver l'en-

Diminution des visites

…viter de grandir
…est un jeu sans
…e père a tout à
…fant avant d'in-
…ançois partage

… : 'Veux-tu … falloir un … aux 300 … si c'est la … ; puis ensuite, si elle passe le premier stade, il va falloir qu'elle réponde aux 300 questions des deux petits. »

D'autres types de problèmes pourraient être soulevés, notamment ceux qui sont reliés à la relation avec l'ex-conjointe et, par conséquent, avec le système judiciaire. Mais ce serait devancer mon propos. Voyons plutôt ce qu'il advient du droit de visites et de sorties après quelques années.

L'étude de Mavis Hetherington, Martha et Roger Cox, menée pendant deux ans auprès de 48 pères séparés, révèle que la fréquence des visites diminue progressivement au fil des jours, le point le plus crucial se situant aux alentours du deuxième mois alors que certains pères voient davantage leurs enfants à ce moment-là que durant le mariage. Les raisons données par les auteurs pour expliquer cette soudaine bouffée de chaleur sont : l'attachement profond à l'enfant ou à la mère, le sens des responsabilités, une tentative de réduire le sentiment de culpabilité, un effort de maintenir une continuité de vie, le désir de contrarier, de rivaliser ou de se venger de la mère :

« Tu peux changer de femme à un moment donné mais avec tes enfants… c'est 'indémanchable'. C'est ce que j'essaie de faire comprendre aux miens.

Même si ma femme me disait : 'J'aimerais bien reprendre avec toi', il y aurait de fortes chances pour que je dise oui. » (François)

« *J'essaie de faire de mon mieux. C'est pas toujours facile. Une chance que j'ai ma fille, parce que...* » (Denis)

« *Si tu le vois juste pour gagner ton point par rapport à un juge, à ton ex-femme, à ta famille puis à sa famille... Ce n'est pas ainsi que ça marche. Il faut que tu le voies parce que tu as envie de le voir.* » (François)

Après deux ans, 19 pères sur 48 visitaient leurs enfants une fois par semaine, 14 toutes les deux semaines et 15 de manière sporadique.

L'étude démontre également qu'avec le temps, l'attitude du père s'est modifiée pour devenir moins libérale, moins nourricière et plus détachée. Mais à aucun moment il n'a été aussi restrictif que le père de famille intacte. On peut aussi attribuer la diminution de la fréquence des visites aux nouveaux intérêts du père et des enfants ainsi qu'aux tensions émotionnelles qui surviennent nécessairement au moment des rencontres. Certains pères vont jusqu'à cesser complètement de voir leurs enfants dans l'espoir d'éviter le chagrin et la confusion auxquels ces moments les exposent.

D'après cette recherche, les pères dont la relation avec leurs enfants s'est améliorée après le divorce attribuent ce résultat à la satisfaction de s'être libérés d'un mariage glacial. Ils ressentent un soulagement et une disponibilité qui se répercutent sur leur connaissance mutuelle et sur leur capacité de s'apprécier les uns les autres.

La présence d'enfants dans un couple séparé ou divorcé élève considérablement le prix qu'il faut payer en larmes, en peurs et en désillusions avant de retrouver l'harmonie rêvée. Tous ces bouleversements influent sur la décision d'un remariage mais aussi, et surtout, sur celle d'avoir ou non d'autres enfants. Denis le confirme :

> « *Moi j'aurais aimé avoir deux enfants dans ma famille ; aujourd'hui, avec ce que je traverse là, j'aime autant en avoir juste un. Si j'en avais deux ou trois, je pense que je serais dans la rue, je pense que je laisserais tout ça là.* »

Ces constatations sont partagées par un bon nombre de pères séparés. Elles témoignent soit de l'échec du paternage, soit de l'ampleur des obstacles auxquels ils sont confrontés. Mais il y en a d'autres pour qui cette expérience de séparation prend la couleur d'une véritable transition dont ils sortent grandis, plus forts et plus vivants.

Guérison et bénéfices

Si le fait de vivre hors du quotidien de ses enfants comporte pour le père célibataire son lot d'angoisses et d'échecs, de peurs et de pièges, pareille expérience détient également un grand pouvoir de guérison. Il y a des avantages manifestes à assumer sa responsabilité de père même en situation d'après divorce dont celui, important, d'améliorer l'estime et l'idée de soi.

Au fur et à mesure que la relation père-enfant évolue vers une plus grande mutualité, le père définit ses nouvelles frontières du « moi », se reconnaît le droit d'exister et d'être respecté tout en départageant ses besoins de ceux de l'enfant. Il échappe de la sorte aux sentiments d'échec et de découragement, accède de plus en plus à l'autodétermination et développe un mode d'existence où domine la reconnaissance de l'interdépendance entre lui et l'enfant.

> *« Il faut que tu voies l'enfant parce que tu as envie de le voir. Cela dépend de l'amour que tu as à donner et de l'amour que tu as besoin de recevoir. »* (François)

Pour maintenir ou pour créer une relation basée sur un attachement émotionnel réciproque, le père doit développer sa sensibilité, sans quoi il demeurera incapable de se laisser émouvoir par son enfant, de l'aimer au sens viscéral du terme. Mais accepter de se laisser émouvoir par son fils ou sa fille comporte certains risques comme celui d'être confronté à sa propre vulnérabilité, à ses propres sentiments de dépendance et d'impuissance, tout ce à quoi il a dû faire face durant son enfance et qu'il a masqué sous le vernis de la masculinité. « Le silence et l'humilité ne figurent pas dans le catalogue de la virilité. » Pourtant, ce n'est qu'à ce prix que se développe la véritable intimité.

> « L'homme qui est capable de reconnaître sa dépendance par rapport à l'amour de ses enfants, aussi bien que leur dépendance à l'égard de ses soins et de son attention et qui canalise son énergie pour répondre aux besoins de ses enfants en dépit de son sentiment de crise et de privation, trouvera que la relation parentale est le point de référence crucial pour restructurer son style de vie, son comportement et son *'self-concept*'*. » (Christine Rosenthal et Harry Keshet)

---

* Image de soi, conception qu'on a de sa propre personne.

Est-ce à dire que ce qui n'a pas éclos pendant le mariage, entre père et enfants, pourrait surgir au moment de la rupture ? Écoutons un père :

« Prendre soin de Matt une partie de chaque semaine m'a aidé à me réunifier. Répondre à ses besoins fondamentaux comme le nourrir, le baigner, jouer, l'embrasser, le mettre au lit était justement ce dont j'avais besoin. Il avait besoin de moi et j'avais besoin qu'il ait besoin de moi. L'avoir autour de moi connectait le passé au présent et cela faisait voir l'avenir de manière moins inquiétante. »

Avec le désir de s'occuper activement de ses enfants naît chez le père le besoin de retrouver une nouvelle routine, de choisir un style de vie, de réorganiser son foyer.

« Laissez-moi me trouver un petit nid d'amour et il y a trois clés qui vont se faire, la mienne et celles des deux petits. Pour eux, ça va être ouvert jour, nuit, fin de semaine, n'importe quand. » (François habite avec ses parents)

« À un moment donné, ma petite je vais l'avoir une fois par semaine, puis je vais avoir des vêtements chez moi, sa bicyclette, ses jouets. Comme ça, quand je vais aller la chercher, je ne déménagerai rien. » (Denis)

Vraisemblablement, le fait de maintenir la relation avec ses enfants et de s'engager dans un quotidien intime offre au père une solution royale au sentiment de dépression et à l'effondrement de l'estime de soi auxquels l'expose une situation de divorce ou de séparation. Mais de tels gains ignorent tout du hasard et si la formule du guichet automatique résout les faillites du budget, il en va différemment de celles des relations qui nécessitent, elles, l'investissement du DÉSIR. Car la compétence dans les aspects de la vie quotidienne est beaucoup plus qu'une simple question d'habileté et de confiance en soi. C'est aussi une question d'identité, ce qui revient à dire que pour être compétent dans les tâches parentales, le père doit avant tout le vouloir. Par conséquent, chaque fois qu'un homme revendique son droit à la paternité, il se demande en contrepartie de faire la preuve de son désir de l'être.

Dans le groupe, Paul dénonce la fuite des responsabilités parentales sous le déguisement de l'incompétence. Dans cette séquence, il répond à Denis qui affirmait avoir peur de laver les cheveux de sa fille parce qu'il n'avait pas la manière.

> *« Arrête donc. Tu me fais penser à un de mes amis qui me disait : 'Comment fais-tu pour prendre ton petit, moi j'ai jamais été capable de prendre mes filles.' J'ai dit : 'Écoute, c'est parce que la journée où tu les aurais prises, ta femme t'aurait dit : 'Tu es capable de la prendre, prends-la donc.' Mais monsieur n'était pas intéressé, il voulait lire son journal, écouter ses nouvelles : 'Allez maman, occupe-toi de la petite. »*

Dans cette réflexion que j'ai intitulée **Pour toi**, nous avons pu constater qu'un grand nombre de pères vivent avec un chagrin intense les modifications majeures qu'entraîne la rupture du lien conjugal sur leur relation avec leurs enfants.

Nous devrions à présent mieux comprendre combien les comportements qu'ils adoptent à ce moment-là sont autant d'essais de retrouver un équilibre, combien le niveau de maturité du père, de même que la qualité de son engagement paternel pendant le mariage exercent une influence déterminante sur ses motivations et attitudes après la séparation. Incapable de faire face à ses malaises, écrasé par ses difficultés financières, professionnelles ou sociales, il peut choisir d'abandonner l'enfant ou de le visiter de moins en moins. Il peut aussi choisir l'attrait d'une relation artificielle dans laquelle le souci de séduire l'enfant supplante la recherche d'une authentique intimité. À ce stade d'adaptation, le père est centré sur lui-même et cherche avant tout à apaiser ses sentiments de culpabilité ou à faire échec à la peur de perdre l'amour de son enfant. Fort heureusement, plusieurs d'entre eux dépassent ce moment d'ajustement et développent une affection réelle, un désir sincère et généreux de demeurer père malgré la destitution de l'époux. On verra alors se déployer une magnifique paternitude, même sans le préalable d'un lien de filiation fort et solide avant le moment de la rupture.

Il est réconfortant de constater que l'engagement renouvelé du père auprès de son enfant peut être pour lui une source de réconfort en cette période de sa vie où il doit soigner des blessures profondes et affronter des pertes qui le laissent démuni et désorienté. Il est tout aussi rassurant de les entendre dire combien ce lien les a aidés à restructurer leur identité et à regagner une nouvelle estime d'eux-mêmes.

III. Sans toi

Dans l'ensemble de cette nouvelle expérience, la nature des relations d'un père séparé avec son ex-femme recèle un potentiel émotif particulièrement explosif. L'ambivalence des sentiments risque de compliquer une situation déjà très douloureuse. Il est souvent difficile pour les parents d'accepter que leurs enfants continuent d'aimer le conjoint qu'ils sont en train de pleurer, d'incriminer, de détester ou de mépriser.

Même celui qui est parti n'échappe pas au désir de contrôler l'autre et il n'est pas rare que l'enfant devienne le fer de lance d'une lutte dont il est bien moins l'enjeu que la munition. Pour comprendre l'ampleur et, dans certains cas, la démesure des réactions du couple séparé, on doit se rappeler que l'attachement demeure présent entre l'homme et la femme malgré la disparition de l'estime et du respect mutuels. Ils ne s'aiment plus mais ils ne veulent pas se perdre et cela se manifeste autant dans les attitudes de séduction et de tendresse que dans les explosions de colère et d'hostilité. Entre les deux parents, l'enfant demeure un trait d'union irréductible et parfois bien embarrassant semble-t-il.

> *« C'est une femme qui ne veut plus rien savoir de moi, qui se sert des enfants pour m'oublier et qui s'arrange pour que les enfants m'oublient. »* (Marc)

> « *C'est le genre de femme qui n'accepte pas que je voie mon enfant. Ce n'est pas normal que j'aie un suivi avec mon enfant, j'ai l'impression qu'elle ne m'aime plus, puis que ce n'est pas normal que l'enfant m'aime.* » (Jean)

Les relations entre ex-conjoints ressemblent parfois à un terrain miné où les sensibilités et les souffrances portent des masques de colère et de haine, où l'amour pour l'enfant prend des allures de compétition olympique.

La couleur des rapports entre les ex semble donner le ton, ou déteindre tout au moins, sur le genre de relation que le père souhaite ou est capable d'établir avec ses enfants maintenant. Pour vérifier cette assertion, j'ai avancé en deux temps. J'ai d'abord considéré les reproches ou accusations proférés par de nombreuses mères à l'endroit de leur ex-conjoint, et analysé les attitudes et comportements des pères en réponse à la perception qu'ils ont du rôle joué par l'ex-conjointe sur leur relation actuelle avec leurs enfants. J'ai regroupé le tout sous le titre : ***Malgré toi ou pour toi.*** Puis, j'ai cherché à mettre en évidence les obstacles semés par la mère sur le chemin de cette relation et les difficultés rattachées au départage du rôle conjugal et du rôle parental. Sous le titre ***Entends-moi,*** j'ai tenté de traduire le désir des pères d'être reconnus et nommés par la mère.

Malgré toi ou pour toi

Vraiment, que se passe-t-il de l'autre côté, quelle est la version féminine des faits ? Les mères et les femmes en général reprochent beaucoup de choses aux pères. Elles se plaignent de leur absence ou de leur incapacité à respecter leur droit de visites et interprètent comme un manque d'intérêt leur habitude de voir l'enfant irrégulièrement, ou d'en faire prendre soin par des tiers (grands-parents, tantes, amies). Dominique Vidal traduit une des frustrations de plusieurs mères lorsqu'elle écrit de quelle manière les pères tirent profit des cadeaux qu'ils offrent à l'enfant :

> « *Quand le père intervient là où la mère a refusé et donne ce qu'elle n'a pas pu ou n'a pas voulu donner, ce n'est plus le cadeau fait à l'enfant qui compte le plus, c'est la réaction qu'il provoquera chez la mère une fois rentré de ce 'week-end' parenthèse.* »

Elle ajoute que si, la première année, ce nouveau célibat laisse les pères perdus, désorientés, ils goûtent assez vite leur nouvelle liberté avec la tranquillité de ceux qui savent que là où l'enfant habite, la famille demeure.

Ce jugement, quoique sévère, dénonce une réalité encore très actuelle. Les nouveaux pères ne sont pas encore légion et il reste une bonne partie de l'ancienne garde pour qui l'intérêt de l'enfant demeure lettre morte. Certains auteurs vont même jusqu'à dire que si le père est en désaccord avec la mère, s'il a une attitude négative envers elle ou s'il est immature, mieux vaut réduire les visites qui auraient autrement un effet néfaste sur la relation de la mère avec les enfants et perturberaient leur comportement.

La solution proposée n'est pas simple et me semble plutôt extrême, bien que dans certains cas ne pas y songer puisse équivaloir à vouloir jouer les autruches. En admettant que les pères tombent dans ce genre d'excès, les propos de Paul et de Jean rappellent que les mères adoptent également ce genre de stratégie :

> « *Ma mère disait quand j'étais jeune : 'Ton père c'est un ci, c'est un ça', mais quand tu es un peu plus vieux et que tu te fais toujours chanter la même romance, tu te dis : 'Écoute là, dans une médaille il y a toujours deux faces.* » (Paul)

> « *Quand mon ex me dit : 'J'ai hâte de ne plus voir ta maudite face', je me demande comment elle réagit avec l'enfant étant donné qu'il me ressemble.* » (Jean)

Il y a dans le propos féminin quelque chose d'important à reconnaître et à admettre. Les raisons qui poussent un père à demander la garde de ses enfants ne sont pas uniquement dictées par l'affection, ni par la préoccupation de leur bien-être et de leur équilibre.

Certains réclament leur droit à la filiation parce qu'à leur yeux il y va de leur devoir en tant que parents responsables. Pour d'autres, l'idée de perdre leurs enfants est insupportable et ils s'opposeront à ce que leurs femmes les en privent en plus du reste. D'autres encore cherchent par leur combat à donner une leçon à celle qui les a abandonnés ou poursuivent le dessein de la regagner par l'entremise des liens avec l'enfant.

> « *Je plains la femme qui m'empêcherait de voir mon gars ; elle est avertie : 'Si tu m'empêches de voir mon gars, une bonne journée je vais aller le chercher et, bonjour, tu le reverras plus.* » (Paul)

Pourtant, c'est ce même Paul qui avait cessé de voir son fils pour les beaux yeux d'une douce amie. Cette anecdote illustre à la fois le caractère instable des sentiments du père et l'effet provocant, négatif et inutile de l'opposition maternelle quand elle ne se justifie pas par la protection réelle de l'enfant. L'attitude de François, plus subtile, fournit peut-être un bel exemple de manipulation par la séduction. Toute l'énergie dépensée pour gagner l'affection de ses enfants peut bien être comprise comme une tentative de nier l'insupportable et de prouver à l'ex-conjointe combien il a changé plutôt que comme son désir authentique de demeurer père à part entière :

> « *Ma propre femme a toujours pensé que je ne pourrais pas vivre sans elle. Moi aussi. Mes enfants me regardaient fonctionner et se demandaient comment j'allais faire. Aujourd'hui, je pense qu'ils viendraient avec moi n'importe où, sur la Lune, au bout du monde. Ils ont confiance en moi. Ma femme aussi me regarde faire. Elle pensait tenir le gros bout du bâton mais elle n'est plus très sûre. Elle pensait que j'allais tomber dans le trou, que j'allais revenir à la maison. Non, François il va s'en sortir et haut la main !* »

Que cette interprétation soit juste ou non, peu importe en définitive. Elle traduit tout au moins le danger de s'égarer dans l'univers fragile des perceptions. Il est facile de juger sur les seules apparences, mais comprendre ce qui anime profondément les comportements et les attitudes humains relève d'une vision autre. Accepter de regarder l'autre côté de la médaille contribue à nuancer, sinon à modifier, les premières conclusions.

Semblable ouverture nous permettrait, à nous les femmes, de remettre en question les croyances toutes faites qui nous arrangent et nous donnent bonne conscience. Est-ce uniquement l'indifférence et le manque d'intérêt qui expliquent la diminution des contacts père-enfant après la rupture ? Notre attitude en tant que mère joue-t-elle un rôle sur la place qu'il occupera désormais dans la vie de son enfant ?

> « *Ma femme m'interdit d'appeler. Elle est extrêmement possessive avec ses enfants. Elle ne veut pas partager. Moi je suis divorcé, alors je n'appartiens plus à la famille, je suis complètement séparé. Elle a coupé le cordon complètement.* » (Pierre)

> « *Du jour au lendemain, ta bonne femme change. Dans le temps, c'était important que je prenne l'enfant quand j'arrivais de travailler. C'est elle qui venait me le porter, ça me faisait plaisir. Sauf qu'à l'heure actuelle, ce n'est pas important que je voie l'enfant, elle n'attache plus d'importance à cela.* » (Jean)

L'attitude négative et hostile de la mère non seulement les décourage dans leur désir d'être avec leur enfant, mais stimule et cristallise leur colère. Des hommes ont coupé les contacts avec leurs enfants parce que le harcèlement exercé par leur femme a eu raison de leur patience. Denis raconte :

> « *L'autre jour, je voulais prendre ma fille pour la fin de semaine. Elle a refusé ; il fallait que ce soit la semaine, comme elle l'avait décidé. C'est toujours comme ça. Ça accroche pour des enfantillages. Tout ce qu'il me reste à faire quand elle ambitionne, c'est de retenir la pension. Elle est mieux de comprendre, de prendre le téléphone et de me parler doucement, poliment au sujet de l'enfant. Comme ça, elle obtiendra un meilleur rendement.* »

Ils accusent aussi les mères de lessiver le cerveau de l'enfant, d'utiliser de faux prétextes pour le rendre inaccessible, d'interdire les visites non prévues dans la convention juridique*, de refuser les appels téléphoniques et de brandir le jugement à tout propos. Tout cela sans parler des empêchements voilés : culpabiliser l'enfant, le punir par des accès de mauvaise humeur prolongée, lui offrir des activités particulièrement captivantes au moment prévu de sa rencontre avec le père... Jean en témoigne :

> *« Prenons 1985 : mars-avril, elle s'en va en Floride ; juin, juillet, août, comme à chaque fois qu'elle part en vacances, je n'ai pas le droit de voir mon enfant. Pire que cela, elle va être assise dans la maison chez elle, mais si elle décide qu'elle est en vacances, je ne vois pas l'enfant. Et il peut être assis à côté d'elle... Quand l'enfant manifeste le désir de parler à son père, je pense que même s'il y a des ententes qui prévoient un seul coup de téléphone par semaine, je me demande pourquoi l'enfant est brimé. À l'heure actuelle, j'ai épuisé tous mes recours. Je me suis épuisé moi-même. Je n'ai pas besoin d'un jugement pour pouvoir dire à Madame de mettre une paire de souliers dans les bagages pour la fin de semaine. Le seul jugement que ça prend, c'est le sien ! »*

Mais chez lui non plus tout n'est pas limpide. Il a renoncé, par exemple, à son droit de visites pendant la semaine, en donnant comme raison que *l'an prochain*, son fils serait en première année et qu'il serait préférable que le moins possible de personnes interviennent auprès de lui pour les devoirs et les leçons. Ce qui laisse un peu perplexe. De la même manière, alors qu'il souhaitait aller chercher son enfant ailleurs qu'au domicile de la mère (afin d'éviter les provocations de

* Ce qui est convenu dans le jugement est un minimum. Les parents peuvent toujours faire plus.

l'ami de son ex-épouse) il refusera le lieu proposé sous prétexte que cette solution l'oblige à réduire son droit de visites d'une heure et demie. Solution : cesser de voir l'enfant dans le but d'amener l'ex-conjointe à changer d'attitude. Heureusement pour son fils, la stratégie a réussi :

> *« J'ai été un mois et demi sans le voir, j'ai peut-être joué le tout pour le tout, sauf que ça a marché. Ça fait quelques fois que je rencontre ma femme et on est capables de se parler sans s'engueuler. »*

Mais que dit-on en réalité sous le couvert de cette lutte ?

Entends-moi

Le moins que l'on puisse dire, c'est que chacun a des raisons qu'il estime valables de vouloir éliminer l'autre, de sorte que chercher à trancher la question en passant par les justifications parentales offre peu d'opportunités positives. Qui plus est, tenter de comprendre le vécu de l'un et de l'autre n'atténue qu'en partie l'ampleur du dilemme, tant les sentiments et les motivations demeurent ambigus. Cette lutte pour leur statut de parent met leur vulnérabilité respective à fleur de peau et l'échec du système judiciaire à réduire l'étendue des conflits confirme l'inutilité de chercher à comprendre qui a tort et qui a raison.

D'après Ginette Renaud-Paré, avocate de Québec et spécialiste en droit matrimonial, la majorité des couples divorcés finissent par avoir des problèmes avec le droit de visites ou de sorties.

Jean Bode, de l'AHSD (Association des hommes séparés et divorcés), affirme que l'accès du parent non gardien auprès de l'enfant soulève des difficultés dans une proportion de 80 p. cent chez leurs membres. Tout ceci témoigne de l'urgence d'aborder ce réel problème par d'autres voies que la voie juridique. Il est plus que temps de proposer d'autres réponses, plus créatives et mieux adaptées aux besoins des parents qui se séparent. Pour y arriver, il faut accepter de considérer toute l'étendue des difficultés que les parents éprouvent parfois à séparer leur rôle conjugal du rôle parental. Ne plus se traiter comme conjoints tout en se respectant comme parents semble impossible pour certains, dramatique pour d'autres. Car si on peut reconnaître et même expliquer la légitimité de leur chagrin et de leurs sentiments négatifs, on peut, en revanche, difficilement admettre que l'enfant en soit l'enjeu et paie de son déséquilibre affectif et social l'immaturité de ceux qui lui doivent soutien et protection. Dans certains cas, la violence morale faite aux enfants par des adultes incapables de se distancier de l'ex-conjoint est équivalente, dans ses conséquences, aux abus physiques et sexuels.

Kristine Rosenthal et Harry Keshet écrivent à ce propos :

> « Bien que la colère, le ressentiment et le blâme peuvent être utiles pour mobiliser l'énergie nécessaire pour acquérir la distance émotionnelle de l'ex-conjoint et du mariage, ils doivent être ressentis, libérés et finalement mis de côté si le couple désire développer une relation de coopération parentale. »

Ces auteurs rejoignent en cela l'opinion du pédiatre Brazelton (déjà cité) pour qui « apprendre à maîtriser sa colère et ses sentiments de frustration » fait partie intégrante de l'attachement et de la fonction parentale.

« J'en suis venu à la conclusion que c'était vraiment pour moi une priorité d'éliminer mon agressivité envers mon ex, pas seulement pour les enfants, bien plus pour moi-même. Quand je me suis fait expulser du foyer, j'étais superagressif contre mon ex mais aussi contre le reste du monde. À un moment donné, il faut que tu deviennes maître de toi, maître de tes sentiments. C'est difficile, c'est certain. » (François)

Denis, pour sa part, a trouvé une solution qui lui permet d'éviter l'affrontement :

« Si elle m'arrive avec une question qui m'amène à un dilemme, moi je lui proposerai : 'Laisse-moi quelques jours pour te répondre.' Tu sais, pour ne pas faire de crise de nerfs au téléphone. Moi j'évite le plus possible les communications avec elle. »

Cette attitude n'est certes pas dépourvue de sagesse, car les frontières émotionnelles que le père a réussi à créer l'aident à se maintenir hors des discussions personnelles avec l'ex-épouse et lui permettent de préserver la stabilité de leur relation de coparentalité.

Jean renchérit les propos de ses pairs :

« Il faut être capable de marcher sur son orgueil. S'il y a risque de chicane, je laisse tomber. Il est important qu'il y ait le plus tôt possible un bon contact entre les deux de sorte que tu rassures ton enfant, tu le calmes. C'est dur, mais c'est là le gros hic du divorce. Les chicanes, ça attaque le moral de ton enfant. » (Jean)

Cette tâche, d'une grande exigence au plan de la maturité, n'est pas accessible à tous. Nous savons à présent que les adultes handicapés émotionnellement et psychologiquement par une enfance vide d'affection et de sécurité reproduisent avec leurs enfants à peu près les mêmes scénarios qu'ils ont vécus. C'est donc toute la façon de concevoir la paternité et la maternité qui doit être remise en question quand on pense à promouvoir l'intérêt de l'enfant, que ce soit pendant ou après le mariage.

J'ai démontré antérieurement que le maintien de la relation avec l'enfant aidait le père à se restructurer, à reconstruire son identité et son estime de lui-même. Dans le cadre de la relation avec l'ex-conjointe, placer au premier plan l'intérêt et les besoins de l'enfant représente le moyen le plus efficace pour réussir à créer avec elle un *modus vivendi*. Pour l'un comme pour l'autre, le désir et la capacité de subordonner les sentiments de colère ou d'hostilité au bien-être de l'enfant offrent la seule solution viable et vivable*.

> *« La journée où tu te reprends en main, où tu es capable de dire : 'Moi je suis capable de faire ça, je suis capable de recevoir un paquet de bêtises et de fermer ma gueule', je pense que tu viens de régler un gros paquet de problèmes. »* (Jean)

Au cours de la première année de séparation, la plus pénible et la plus cruciale, il est préférable de fixer des arrangements que chacun s'efforcera de respecter. Cette attitude positive diminue le risque de conflits, puisque toute entorse faite à l'entente par un des conjoints l'expose à la fureur de l'autre (surtout si les changements imposés lui procurent du plaisir

* C'est sur ce principe que s'appuie l'intervention en médiation familiale. L'occasion est offerte aux parents de négocier l'exercice de leurs droits parentaux sur une base de coopération, plutôt que dans un système adverse tel qu'offert par les avocats.

ou lui facilitent la vie avec un ou une rivale). Le temps, bien sûr, fera œuvre de guérisseur. Au fur et à mesure que le deuil se résout, les esprits s'apaisent et souvent, après un an, les pères qui ont affirmé et établi concrètement leur droit de visites peuvent se détendre, accommoder leurs enfants, et occasionnellement l'ex-conjointe, sans avoir le sentiment de perdre la face.

Pour bien des couples, l'achèvement du deuil clôture une étape mouvementée, chacun ayant pour tâche capitale d'apprendre à accepter l'irréversible brisure du lien. Pour le père, ce pas est décisif, car c'est seulement à ce prix qu'il gagne son indépendance par rapport à l'ex et devient véritablement responsable et engagé dans sa relation avec son enfant.

L'indice le plus sûr qu'un changement majeur est survenu dans l'attitude paternelle apparaît lorsqu'il ne recherche plus la confirmation de sa compétence auprès de la mère mais auprès de ses enfants. Sans cela, et aussi longtemps qu'il ne se sent pas redevable devant son enfant des conséquences de ses gestes et de ses choix, ses comportements risquent de demeurer erratiques. Mais quelqu'un lui a-t-il déjà dit combien son fils, combien sa fille pouvaient se sentir rejetés, repoussés, non aimés et non aimables devant son instabilité ?

La qualité et le ton de la relation entre les anciens époux sont d'excellents indicateurs du comportement du père non gardien. Cette affirmation se base sur la certitude que les parents influencent leurs enfants non seulement à travers l'interaction directe mais aussi par l'appui qu'ils s'assurent réciproquement dans leur rôle parental. Le respect mutuel, la reconnaissance réciproque de leur compétence en tant que parent, l'acceptation du droit de chacun d'être aimé de l'enfant facilitent la construction de la nouvelle famille et valident, sans la garantir, la présence du père auprès de son enfant.

« *C'est une bonne femme, elle ne m'empêchera pas de voir mon gars ; et je suis certain qu'elle ne parle pas en mal de moi. Comme moi je ne parle jamais en mal d'elle lorsque je suis avec mon gars.* » (Paul)

« *Tant et aussi longtemps qu'elle n'aura pas admis que je suis encore le père de l'enfant, tant et aussi longtemps qu'elle n'aura pas admis que l'enfant tient encore à moi, même si elle ne tient plus à moi...* » *(sous entendu : rien ne changera)* (Jean)

Si les réflexions précédentes font ressortir l'importance du niveau de maturité du père dans ses efforts pour maintenir avec ses enfants un réel contact en dépit du désarroi dans lequel le plonge la rupture, il est clair qu'il en sera de même au moment de négocier avec la mère sa présence auprès d'eux. Cela tient au fait que le monde des émotions se départage difficilement, qu'il est bien aisé de prendre la proie pour l'ombre, et que l'ambiguïté promet d'être une rivale à combattre dans ce temps des séparations.

Certains pères s'acharnent à sauvegarder leurs droits parentaux. Malheureusement, il arrive que leur démarche vise davantage à reconquérir, embêter, punir ou harceler la mère. Or, l'enfant n'est pas dupe et il y a fort à parier que pareilles manœuvres sèment, quelque part en son cœur, la tristesse de se savoir prétexte plutôt qu'objet de tendresse. Quant au père, il n'a rien à gagner, ni pour lui-même ni pour sa paternité, tant qu'il porte son regard loin au-dessus de cet enfant dont il tient pourtant la main. Aucune des promesses contenues dans une relation père-enfant vécue en direct plutôt qu'en différé ne saurait être livrée s'il ne consent d'abord à se libérer des entraves négatives qui l'opposent à l'ex-conjointe.

Il lui faudra beaucoup de maturité pour faire face, éventuellement, au refus de la mère de partager ses petits. Cette attitude prend parfois des allures de harcèlement, de boycottage, qui soulèvent chez beaucoup d'hommes des sentiments de colère et des envies de démission.

La mère, il est vrai, tient dans ses mains des cartes maîtresses contre lesquelles patience et longueur de temps vaudront mieux que force ou que rage. D'autant que, dans cette partie, Madame dispose de nombreux alliés, dont le système judiciaire se montre un des fidèles représentants.

Avant de clore ce chapitre, j'aimerais aborder la perception qu'ont les pères de ce système judiciaire, leurs revendications à ce propos et leurs réactions à la pension alimentaire.

IV. Contre moi

Alors que la rupture du lien conjugal ébranle déjà les assises de leur personnalité et détériore les modalités de rapport avec leurs enfants, les pères doivent aussi subir que la société, via le système judiciaire, s'immisce dans les zones les plus intimes de leur vie et décide, souvent contre eux, de l'orientation de leur fonction parentale. Cet état de fait soulève chez eux une agressivité grondante quand ce n'est pas une haine insurmontable à l'endroit des juges et des avocats.

J'ai appelé ***Côté Cour*** la première partie de mes observations et réflexions. Celle-ci dévoile les opinions et méthodes qui appartiennent aux représentants du Tribunal de la famille (juges et avocats) en matière de divorce. La deuxième partie, que j'ai intitulée ***Juge-père ou père-juge,*** suit le parcours des émotions, attitudes et comportements que l'orientation du système juridique provoque chez les pères séparés. En troisième et dernière partie, ***Le prix à payer*** cherche à exposer et à analyser la position des pères sur le sujet épineux de la pension alimentaire.

Côté Cour...

« *Avant de changer la loi, on a une mentalité complète à changer. Tu ne feras pas admettre à quelqu'un qui va préparer une loi que le père peut être aussi capable que la mère d'élever son enfant. Le gars part avec l'opinion que la mère est là pour l'enfant, que le gars est là pour l'argent. C'était la mentalité de la loi déjà établie. Il faut que tu changes cette mentalité-là avant d'espérer changer la loi. »* (Jean)

En s'exprimant de la sorte, Jean ralliait l'opinion de ses pairs et reflétait, très exactement, la pensée de groupes masculinistes comme le collectif Hom-Info, l'Association des hommes séparés et divorcés et bien d'autres encore. Force est d'admettre qu'ils n'ont pas tout à fait tort. Historiquement, les pères ont subi d'énormes pertes au plan des responsabilités parentales depuis le début du siècle, alors que l'influence psychanalytique imposait peu à peu ses visées sur la primauté de l'influence maternelle.

Socialement, la scission des rôles féminin et masculin entre le foyer et l'usine introduite par l'avènement de la société industrielle fournissait à ceux que ce système avantageait l'occasion unique d'ériger en mythe ce qui avait d'abord émergé d'une cause socio-économique. Le courant féministe accuse d'ailleurs Freud d'avoir récupéré au compte des hommes l'infériorité sociale des femmes de son époque en la consacrant en infériorité biologique.

À côté de cela, la croyance en un instinct maternel fort et irréductible affecte négativement les relations des pères avec leurs enfants. Car si la mère est considérée compétente et indispensable, le père, en revanche, se trouve réduit à un rôle de pourvoyeur.

« Moi, j'ai l'impression qu'après le divorce tu paies la pension alimentaire, puis tu fermes ta gueule. » (Jean)

Ces préceptes, lorsqu'ils sont adoptés par les juges, les avocats et la société, risquent d'handicaper sérieu-

sement l'étab ... a-
tion entre le ... nt
d'autant plus ... ur
conscience le ... ts
véritables pl ... :
les enfants, à

« Les loi
table... »

« Qu'est-
ont la g
gros bo
pas mes

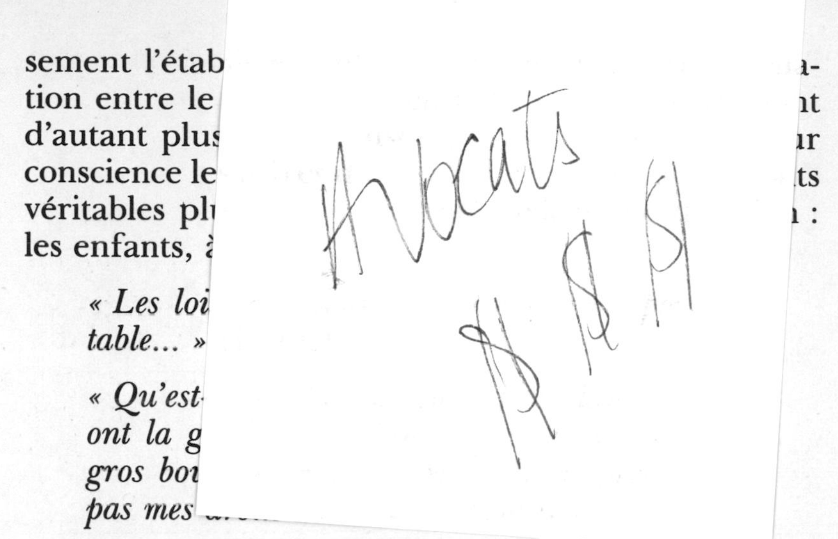

Aujourd'hui encore et malgré une certaine évolution des mentalités, on doit reconnaître que les bonnes intentions, autant que les bons énoncés de principes, ne suffisent pas pour modifier de manière significative ce qui a fait jusqu'à maintenant œuvre de tradition. Et si l'on ajoute à cela le mythe bien enraciné selon lequel les pères ne sont troublés par aucun sentiment profond au moment du divorce, on peut penser qu'on est encore loin du but.

Dans une publication de Statistiques Canada datant de 1983, on trouve le bilan de la situation du divorce au Canada et au Québec dans les années 1960 à 1979. Il se dégage de cette analyse que les pères obtiennent nettement moins souvent la garde que leurs vis-à-vis féminins et que seulement 14 p. cent de ceux qui la réclament (soit un sur sept) l'obtiennent. On peut expliquer cela par le fait que la plupart des normes à caractère social tiennent la mère pour mieux préparée à l'éducation des enfants et il est hors de doute que ces normes se reflètent dans les décisions juridiques concernant la garde. Si l'on jette un coup d'œil sur des chiffres plus récents (1985), il semble qu'ils demeurent sensiblement les mêmes (pour plus de détails, voir l'annexe).

Théoriquement toutefois, la justesse du ton et la nuance de l'opinion laissent présager de meilleurs jours. Albert Mayrand, juge à la Cour d'appel, écrit :

> « Le juge prend en considération une multitude de facteurs, dont la conduite de chacun des parents, leur maturité d'esprit, leur santé, leur âge, leurs facultés pécuniaires, la sécurité qu'ils peuvent offrir à l'enfant, le milieu physique et le milieu intellectuel, enfin toutes les circonstances dans lesquelles les parties se trouvent. Mais la pondération de toutes ces considérations mène à un but : la découverte de l'intérêt de l'enfant. »

Pourtant peu de pères préoccupés par leur rôle auprès de l'enfant reconnaissent ce souci chez ceux qui les jugent ni d'ailleurs chez ceux qui les défendent :

> *« Une femme peut dire n'importe quoi à la cour et tout le monde la croit. Nous autres, on essaie de se défendre, on essaie de dire quelque chose : tout de suite vient une attitude négative. »*

> *« Il m'a dit (son avocat) : 'Toi, assieds-toi là, dis pas un mot, je prends tout en main. »* (Pierre)

Parmi ceux qui désirent la garde de leur enfant, beaucoup disent avoir été découragés par leurs avocats. Dans le groupe, les pères expriment à plusieurs reprises leur sentiment de ne pas recevoir de leur avocat le soutien qu'ils sont en droit d'en attendre. Certains se sentent exploités, d'autres attribuent à leur manque de ressources financières un désintérêt qu'ils identifient à du mépris.

« On se fait charrier par les avocats. Tu apprends d'un seul coup que ton divorce aurait pu passer il y a trois mois... Moi je prétends que si les avocats étaient assez honnêtes pour inscrire la cause dans les trois mois suivants, il y aurait beaucoup moins de conflits. Plus ça traîne, plus ça leur rapporte... Moi, j'ai déboursé 11 000 $. Pour quels résultats ? » (Jean)

« Les avocats se servent des enfants comme otages. » (Denis)

« Les avocats, ça s'organise entre eux. » (au sens où ils s'entendent entre eux contre leurs clients) (Paul)

La documentation disponible corrobore ces considérations : plusieurs pères soulignent les sommes phénoménales qu'ils ont dû investir en frais judiciaires, afin de sauvegarder leur droit parental. On y découvre qu'au Canada, un homme peut dépenser entre 15 000 $ et 20 000 $ sur 12 à 15 ans pour demeurer le parent effectif et affectif de ses enfants.

À côté de cela, il y a la connotation morale sous-jacente aux considérations avouées par les juges. Ainsi, à moins que la mère ne soit déclarée inapte moralement, elle aura la préférence.

« Bien moi, je vais me contenter de mes droits de visites... Il y a rien qu'une manière d'avoir la garde des enfants quand ils sont jeunes... c'est de prouver que leur mère est indigne. » (Denis)

Quand les participants lui demandèrent de préciser ce qu'il entendait par *« mère indigne »*, Denis a répondu : *« C'est une femme qui court la galipote »* (c'est-à-dire une dévergondée). *« Et un père indigne ? »* ajoutèrent-ils. *« C'est un homme qui ne prend pas ses responsabilités »*. En foi de quoi ces présuppositions morales n'affectent pas que les juges ! Une étude portant sur 14 juges ontariens révèle que les critères servant à définir l'intérêt de l'enfant reposent essentiellement sur les valeurs personnelles des juges (adultère, mères qui travaillent...)

Un autre point émerge : le faible pouvoir de recours des pères en cas d'obstruction de la mère à l'exercice de leur droit de visites et de sorties. On observe la prédominance du *statu quo* dans la plupart des jugements rendus à la suite d'une requête d'outrage au tribunal. Les juges hésitent à obliger la mère à une amende et se contentent de vagues semonces visant à obtenir de sa part plus de coopération avec le père. En ce qui regarde l'intérêt de l'enfant, ils considèrent que la stabilité de la situation, bien que préjudiciable au père, est préférable aux bouleversements qu'entraîneraient les réajustements demandés. Quant aux changements de garde légale, ils ne sont que rarement accordés et supposent une raison majeure. Fort heureusement, la nouvelle loi sur le divorce, promulguée en 1986, prend en considération la disposition des ex-conjoints à favoriser l'accès à l'autre parent lors de l'attribution du droit de garde.

Juge-père ou père-juge

Nous n'aurions certainement pas tort de croire qu'il y a dans notre système judiciaire un fondement paternaliste, pour ne pas dire œdipien. Comparer ce juge omnipuissant, inatteignable, craint et admiré tout à la fois, au modèle du père traditionnel fort et compétent, responsable des sanctions autant que des décisions, envié pour la place qu'il occupe auprès de la mère, peut sembler inconvenant mais non moins recevable. Le recul (et l'imagination, peut-être) permet d'apercevoir, se mouvant prudemment et anonymement à la manière des ombres chinoises, le fantôme de l'éternel triangle, alors qu'entre le juge et la mère se tissent des liens de complicité, de protection et de séduction dont le père est exclu.

Dans cette lutte de pouvoir qu'il entreprend avec la mère et dont l'enfant peut être aussi bien l'enjeu que le prétexte, celui-ci développe des stratégies et ressent des émotions proches de celles vécues enfant, alors qu'il partait à la conquête de sa mère. Le voilà redevenu petit, seul et impuissant, face à ce père-juge dont elle obtient tout ce qu'elle veut, face à ce rival détesté qu'il tient pour responsable de tous ses maux. On peut prévoir et comprendre son dépit quand il l'entend lui déclarer du haut de son prétoire : « Au coin mon garçon, tu n'es pas encore assez grand pour jouer au papa. » Et le coup de marteau, tel le poing sur la table, signale à l'enfant piteux que « papa a décidé... point à la ligne ».

Quoique caricaturale, l'image comporte, il me semble, sa part de vérité.

> *« Si tu arrives devant un juge et que tu lui parles pendant quatre heures, au bout d'une demi-heure, il s'endort, il se fout de toi... Pour lui ce qui compte, c'est sa petite cause, puis son petit salaire. Parle-lui juste dans les grandes lignes, fais-lui croire qu'il est beau, qu'il est fin, qu'il est un grand juge, que c'est quelqu'un de bien, mais que toi tu es un minable. »* (Denis)

> *« Toi, tu arrives devant le juge et tu dis : 'Moi, monsieur le juge, c'est ça que je veux.' T'imagines-tu qu'il va te répondre : 'Oui mon petit gars, toi tu me fais peur, c'est ça que tu veux ? Je vais céder ! ? »* (François)

En parlant ainsi du juge, Denis et François expriment des sentiments proches de ceux qui caractérisent la relation père-fils au moment du conflit œdipien : sentiment d'impuissance, de jalousie, et même de mépris.

Cette image, même si elle ne colle pas à toute la réalité des pères confrontés au processus judiciaire, a l'avantage d'offrir un éclairage nouveau qui peut aider à comprendre la dynamique de leurs réactions, spécialement lorsqu'elles semblent démesurées.

Il y avait dans le groupe un père qui vouait aux juges et aux avocats une haine et une hostilité à peine imaginables. Il faisait des plans, imaginait des stratégies, posait des gestes provocateurs, même au prix de se faire retirer le droit de voir ses enfants, tant son désir de vengeance et de victoire l'animait avec force. Cet exemple permet de comprendre que nos réactions à une situation douloureuse sont marquées par tout un passé et que si elles apparaissent exagérées par rapport à l'événement actuel, elles témoignent avec force de la profondeur de la blessure qu'il ravive.

> *« Ils ne m'ont rien recommandé. Tiens, bang ! 'That's it', c'est fini, bonjour. Ça s'est fait tellement froidement... Ils ne m'ont même pas demandé mon opinion, pas ce que je pensais, rien, machinalement, comme un robot. »* (Pierre)

La plus révélatrice des études que j'ai consultées met en évidence la différence de comportement entre les parents non gardiens dont les droits ont été décrétés par le tribunal et ceux dont les droits ont été réglés à l'amiable.

Dans le premier cas, les pères n'acceptent pas le jugement : ils se battent pour obtenir la garde, espèrent que le tribunal reviendra sur sa décision ou que l'enfant quittera sa mère pour les rejoindre. Ils estiment qu'ils sont le meilleur parent et que l'enfant souffre de vivre avec sa mère. Ces pères sont furieux et vouent une haine intense aux représentants de la loi. Ils se sentent victimes et leur anxiété les pousse quelquefois à poser des gestes qui risquent de compromettre leurs possibilités de contact avec leurs enfants.

À l'opposé, les pères bénéficiant d'une entente à l'amiable reconnaissent et acceptent leur rôle de père à temps partiel ; ils ont des droits de visites fréquentes, passent plus de temps avec leurs enfants durant les vacances et peuvent téléphoner. Ils sentent que leur femme et eux-mêmes sont de bons parents et que leur enfant est entre bonnes mains.

Dans la majorité des cas de litiges tranchés par le tribunal, on observe que les parents deviennent des ennemis agressifs et se montrent réticents à modifier le cadre de l'entente, ce qui expose l'enfant à devenir l'enjeu d'un contentieux mal réglé.

Tout compte fait, on doit admettre que le mode de fonctionnement du système judiciaire ne favorise pas l'esprit de coopération et qu'il invite plutôt les ex-conjoints à se traiter comme des adversaires. Ceci peut expliquer en partie le non-engagement des pères visiteurs : car le tribunal, par son jugement, sanctionne leur sentiment d'incompétence ou valide leur désir de se retirer.

Même le choix des termes est susceptible d'influencer leur position. Les expressions comme « garde légale exclusive » et « parent non gardien » ont une portée négative (inégal, injuste, mauvais, faible, sans pouvoir, inutile), comparativement à celle de garde légale conjointe et de parent gardien à connotation positive (juste, utile, valable, fort, dominant, important).

[illegible] judiciaire déres-
[illegible] tant à leur dispo-
[illegible] à leur place des
[illegible] eront des aspects
[illegible] et dont ils seront
[illegible] François « s'en-
[illegible] qu'il dit quelque
[illegible] aut pas manquer

[illegible] voulez-vous [illegible] l'amour, de [illegible] tit problème, [illegible] la cour, puis [illegible] ui sont dans l'erreur, c'est pas les avocats, c'est pas la justice, c'est nous autres en général. Les seules personnes que vous êtes capables de changer, c'est vous-autres mêmes les gars ! »

Les parents qui ont recours à cette solution sont parfois dans l'incapacité d'être responsables de leur vie et ne disposent pas de la maturité ou de la volonté suffisante pour décider ensemble de ce qui conviendra désormais à leur famille. Il suffit qu'un seul des deux partenaires réponde à ce profil et tout bascule. Dans l'exemple qui suit, il est difficile pour nous d'évaluer quelle part joue exactement chacun des ex-conjoints dans les difficultés dont Jean nous prend à témoin. De toute façon, son désarroi, ses sentiments d'impuissance et d'épuisement moral ne font aucun doute :

« Moi ça fait trois ans que je me bats pour voir mon enfant... Présentement, je décroche et je ne veux plus rien savoir. Je me dis, tu peux arriver à une entente à condition que les deux s'assoient pour discuter, mais il n'en est pas question pour

elle. Alors moi, j'arrête mon droit de visites. Je suis tanné, tanné, tanné. »

Pour les pères, les répercussions de cette incapacité, impossibilité ou refus sont de taille. Car en abandonnant ainsi leur pouvoir aux mains de l'appareil judiciaire, ils risquent de compromettre la relation qu'ils avaient réussi à établir avec leur enfant, ou de mettre en péril les possibilités qui leur restaient de le faire. D'où la nécessité, tel que je le suggérais antérieurement, d'explorer toutes formes de réponses plus axées vers le soutien des ex-conjoints en difficulté. Chacun pourrait y trouver son compte et la relation père-enfants ne s'en porterait que mieux.

Somme toute, l'influence des valeurs adoptées par notre système judiciaire sur la relation entre le père séparé et son enfant n'a rien d'enviable ni de particulièrement réjouissant. La plus marquante de ces valeurs est sans contredit la reconnaissance de la primauté de la mère comme parent compétent et nécessaire. Cette croyance a pour effet d'invalider le rôle et l'influence du père auprès de l'enfant, de confirmer ses doutes sur lui-même, d'alimenter ses sentiments de dévalorisation personnelle, d'entériner son désir de renoncer, en totalité ou en partie, à ses droits parentaux.

Cette attitude de la société en général et des représentants de la loi en particulier menace en plus de faire naître chez le père de forts sentiments de rébellion et des besoins d'opposition qui peuvent le conduire à ouvrir un débat dont l'enjeu est parfois discutable. Le danger en pareil cas est de deux sortes : que la recherche de victoire contre la mère, le juge ou l'avocat devienne plus importante que le désir de relation avec l'enfant. En second lieu, il y a le risque que le père étouffe les sentiments insupportables liés à la peur de perdre son enfant en ne donnant libre cours qu'à sa colère et à son hostilité. Ce mécanisme lui permet de ne pas ressentir toute la profondeur de sa souffrance et l'immunise contre un possible désespoir. Il commet là une grave erreur car ce n'est qu'à la condition de se laisser aller à ses émotions et ses besoins temporaires de dépendance qu'il pourra se réapproprier cette expérience et prendre suffisamment de distance avec les attentes des autres pour comprendre le véritable sens de sa paternitude. Mais ne suis-je pas encore à parler de croissance et de maturité ?

Certes, il en est pour qui la perte de la garde servira de déclencheur et provoquera la naissance du désir de paternité demeuré jusque-là en veilleuse. Mais si les résistances maternelles se font trop coriaces, et les décisions du tribunal trop traditionnelles, il y a fort à parier que le seul destin de cet embryon soit l'avortement dans l'œuf.

Avec la décision de la garde légale, du droit de visites et sorties, vient aussi celle du versement de la pension alimentaire.

Le prix à payer

La question de la pension alimentaire représente l'arête la plus contondante de la structure relationnelle des familles éclatées. Et cela n'étonnera qu'à moitié si l'on admet que les questions d'argent sont rarement analysées en profondeur par la majorité des couples. Si certaines femmes se targuent de connaître le plus petit détail du budget familial, elles sont encore nombreuses à ignorer la signification de leur contrat de mariage et à accepter, lorsqu'elles travaillent, des répartitions financières dont les conséquences ne manquent pas de les étonner au moment de la séparation*. Les partenaires qui n'ont pas développé un rapport égalitaire sur les questions financières pendant le mariage arrivent difficilement à le faire au moment de la séparation.

De toute évidence, les réactions diffèrent. Pour les uns, la perte de la garde justifie l'arrêt des versements alors que pour les autres le désir de subvenir aux besoins de leurs enfants est un incitatif à les continuer. D'autres encore se servent de ce motif pour affirmer leur droit de visites. Tous accordent de l'importance à ce que leurs enfants connaissent leur contribution.

Dans le groupe, ce sujet provoquait beaucoup d'animation et un peu d'animosité.

> « *Je ne veux pas dire que je travaille parce que je ne veux pas payer de pension alimentaire. J'estime que les juges sont responsables de ce qui arrive, des dommages que cela cause aux enfants.* » (Marc)

Marc entretenait avec son ex-femme des rapports hostiles. Il avait également beaucoup d'agressivité contre sa belle famille, les juges, les travailleurs sociaux qu'il tenait pour responsables de ses malheurs. Son intervention soulève justement les deux facettes de cette obligation financière : celle de la relation avec la mère et celle de la vision qu'il a de sa responsabilité de père. Une chose est sûre. C'est que père et mère trouvent dans ces circonstances l'exacte occasion pour contrôler, punir, narguer l'autre. Malheureusement, leur relation avec leur enfant en est toujours affectée.

---

* Je fais allusion aux femmes dont le salaire sert à payer le marché, les vêtements des enfants, les loisirs familiaux, alors que maison, auto et autres possessions sont au nom de l'époux.

> « *Il y aura toujours de l'argent sur ma paye pour ma petite fille, mais une pension raisonnable. Là, je ne contribue pas, parce que je veux faire du trouble, mais j'ai des raisons pour le faire.* » (Denis)

D'après mon analyse, une des principales difficultés découle de l'ignorance des pères sur ce qu'il en coûte pour prendre soin d'un enfant. Écoutons Paul :

> « *À l'âge qu'il a... (3 ans) tu vas lui faire n'importe quelles niaiseries, ça coûte pas un cent. Qu'ils viennent pas me dire que ça coûte une fortune, ça coûte pas un cent à cet âge-là. Deux ou trois dollars pour une petite cochonnerie.* »

Ils développent de ce fait beaucoup de méfiance. Privés de repères concrets pour évaluer la pertinence de ce qui est exigé d'eux, ils protestent, crient à l'injustice et parfois, accusent :

> « *Moi, je suis prêt à payer une pension alimentaire mais ils me demandent 40 $ par semaine et, quand je travaillerai ça va aller à 60 $, 70 $. C'est sa mère qui garde la petite pendant qu'elle travaille, ça ne lui coûte rien.* » (Denis)

> « *La pension que je paie ne sert pas pour l'enfant. C'est pour elle : elle réduit ses heures de travail, a augmenté son loyer de 180 $. Mais tu peux rien faire à cela.* » (Jean)

François, quant à lui, a réglé la situation en gardant le contrôle sur les sommes dépensées pour ses enfants, son souci premier étant, semble-t-il, de s'assurer que son argent ne serve pas à la mère.

> « *Tout d'abord, si tu donnes de l'argent à ta femme pour qu'elle s'occupe de ton enfant, tu es en droit d'exiger un reçu qui soit déductible pour ton impôt.*

Deuxièmement, c'est que tu as le droit de vérifier ce qui est bel et bien acheté. Qui te dit qu'avec la pension que tu paies, elle ne prend pas un coup avec son 'chum', qu'elle n'achète pas de la drogue, toutes sortes d'affaires de même... La part de responsabilité que j'ai, c'est que lorsque mes enfants sont avec moi, je m'en occupe de A à Z. Mais, ça a été son choix à elle de prendre les enfants. Ok. je ne m'obstine pas. 'Si c'est ça que tu veux, c'est ça que tu vas avoir, mais avec tous les inconvénients que ça apporte. » (Il paie donc les dépenses de fin de semaine)

François est prêt à payer pour ses enfants, dans la mesure où l'argent ne passe pas par les mains de sa femme. Cela ne va pas sans causer quelques problèmes dans l'établissement des priorités :

« Moi, je n'achète peut-être pas de robe à ma fille, mais je l'ai amenée voir Corey Hart, plus le taxi que j'ai payé, plus un petit 'lunch' au restaurant ; ensuite, j'ai amené les deux aux Pee-Wee. J'ai apporté de la joie à mes enfants, et ça m'a coûté de l'argent. »

On peut saisir dans cette réplique la prédominance d'un désir de contrôle. À l'objection que le soin des enfants entraîne bien d'autres frais que ceux encourus par les loisirs, il rétorque qu'il peut lui aussi acheter des pantalons, des chandails. Ce faisant, il place la mère dans l'obligation de revenir à lui pour répondre aux besoins matériels de ses enfants. Jean reconnaît également la difficulté et la nécessité de cette transaction :

« La pension alimentaire devient une occasion de chicane de plus. Moi je suis d'accord pour payer une pension alimentaire pour mon enfant,

je trouve que c'est important. C'est peut-être la seule participation que je peux offrir à mon enfant : lui fournir ce dont il a besoin. »

Même si la plupart des pères du groupe consentaient à payer certaines sommes pour leurs enfants, je sentais la fragilité de leur motivation suspendue à toutes sortes de restrictions davantage dictées par le climat émotionnel entre eux et leurs ex-conjointes que par un sens réel des besoins de leurs enfants ou le désir d'assumer cette part de leur responsabilité. Bien que le tribunal ne fasse pas intervenir le refus ou l'impossibilité de paiement de la pension alimentaire dans l'exercice du droit de visites, les pères ou les mères se servent volontiers de cet argument.

« *Ça devient frustrant. Déjà que tu peux pas voir ton enfant...* » (Denis)

« *Jamais je ne paierai une pension pour les enfants à une femme qui ne veut pas que je les voie.* » (Marc)

On échappe difficilement devant semblable discours au danger de juger. Et selon nos affinités, expériences ou préjugés, on penche pour lui ou pour elle, en tombant inexorablement dans le piège du système adverse préconisé par la loi et dont on sait maintenant comment il contrecarre la coopération des ex-conjoints. Le plus sage n'étant pas toujours de s'abstenir, je me risque à prétendre que la solution ne pourra émerger que de la coresponsabilité parentale. Et le père et la mère doivent prendre conscience non seulement de leur rôle respectif, mais également de la place que chacun d'eux a le droit et le devoir d'occuper auprès de cet être né de leur projet commun.

Les documents que j'ai consultés ainsi que les six témoignages utilisés pour étayer la présente réflexion

Resumé

...rences, ici comme
... la vérité et que les
...norants de la signi-
... train de vivre.

...nt que bien des pères
...in à la perte de leur
...Sentiments de culpa-
...l'hostilité, perte d'in-
...enfant ne sont que
quelques ... qui caractérisent cette période de crise. Comment s'étonner qu'ils en ressortent éprouvés dans leur identité personnelle, leur estime d'eux-mêmes et dans le sens qu'ils accordent à leur vie ?

Dans leurs réactions et comportements, la distinction se remarque. Chez certains pères dits occasionnels, c'est la soumission aux ordonnances du tribunal qui domine. Chez d'autres, plus engagés à faire reconnaître leurs droits de parent et leur statut de père, la revendication prime. À côté des pères animés par l'affection et l'intérêt réels qu'ils portent à leurs enfants, il y a les autres, dits « pères narcissiques », préoccupés surtout de gains et de victoires contre une société et un système qui les ennuient royalement. Chez ceux-là, la lutte concerne davantage la sauvegarde de leur image sociale que le souci de leur relation avec leurs enfants.

L'abandon des enfants figure aussi au palmarès des modes d'adaptation et si on peut croire à juste titre que quelques pères le font par absence totale de sentiment d'attachement, nous savons, en revanche, que d'autres choisissent cette solution pour échapper à un bouleversement intérieur ressenti comme insupportable.

L'enlèvement, plus rare chez nous, demeure une possibilité et effraie bon nombre de mères. Mais cet acte qualifié de criminel témoigne, tout comme l'abandon et les comportements narcissiques, d'une immaturité manifeste, même si l'on doit admettre qu'ils soustendent parfois une réalité plus dramatique encore qu'on appelle le désespoir.

Avec les motivations, nous touchons un des aspects les plus délicats et les plus subtils du vécu des pères séparés et divorcés. Ceci tient en effet aux nombreuses interférences s'immisçant entre le père et l'enfant et dont les principales viennent du lien avec l'ex-conjointe, des circonstances de la rupture, du comportement paternel avant la séparation, de ses réactions aux décisions juridiques, sans parler des composantes non moins négligeables de sa personnalité et de son habileté à départager le rôle conjugal du rôle parental.

Selon l'une ou l'autre de ces influences, il voudra punir, se venger, vaincre, faire obstacle ou chercher de façon plus adulte à tirer le meilleur parti possible de cette situation douloureuse. Pour parvenir à édifier une relation authentique et satisfaisante avec un être dont il veut rester le père à tout prix, il doit parvenir à se définir, à se fixer des objectifs, à s'évaluer à partir de ce qu'il éprouve, à partir de ses perceptions et de sa compréhension de l'expérience qu'il partage de façon unique et originale avec son enfant.

À partir de là, il devient capable de regarder, d'affectionner son enfant et il est possible de croire qu'il en éprouve de la félicité. C'est comme une seconde naissance, celle d'un homme animé par la fierté et la satisfaction d'être toujours père, en dépit des tempêtes et de l'adversité.

TOUJOURS PÈRE

Ce dernier chapitre m'amène à la fin d'un parcours que j'ai franchi avec toute l'honnêteté et l'ouverture dont je suis capable, ici et maintenant. J'avais comme préoccupation de porter un regard neuf sur la réalité des pères séparés ou divorcés dans l'espoir de mieux comprendre la signification de leurs silences et de leurs revendications, de leurs batailles aussi bien que de leurs retraits. Mais à présent que me voilà suffisamment près de leur réalité pour en craindre moins les ombres, que me reste-t-il à faire ? Que me reste-t-il à dire ?

Où en suis-je personnellement, intimement, après avoir confronté aux leurs mes propres colères, mes ressentiments, mes besoins de dépendance, ma culpabilité et même parfois, mes désirs de fuite ? Je ne peux nier que cette dernière étape, plus encore que les deux précédentes, prend pour moi une tournure très proche de ce que sont, à ce moment précis, mes préoccupations en tant qu'ex-épouse, en tant que mère mais aussi en tant que femme préoccupée par les crises de la vie et par une compréhension existentielle du devenir humain.

Dans cette partie du livre, je laisserai se dire ce que cette réflexion fait venir de perspectives et de projets d'avenir, d'idées sur ce qu'il faudrait favoriser, permettre et faciliter pour que les relations père-enfant répondent aux besoins respectifs de chacun. Je pourrais remonter au déluge mais je m'en tiendrai à aujourd'hui, à la situation particulière des pères contraints d'exercer un droit de visites et de sorties. Est-il utopique d'espérer qu'ils puissent ainsi se sentir toujours pères ? Si oui, comment cela se fera-t-il et quel genre de soutien serait à prévoir ?

I. Être fils et devenir père

On ne devient père qu'après avoir été fils. Cela semble une vérité de La Palice mais sous-tend un développement personnel que l'on ne cesse de voir participer à la manière individuelle dont les pères vivent leur séparation et la réédification de leur relation avec leurs enfants.

L'histoire du fils, précédant celle du père, a déjà tracé les contours de ses liens avec ses premières figures d'attachement, de ses modèles de relation, de sa vision du monde et marque d'une façon singulière la position qu'il adopte aujourd'hui à l'égard de sa propre existence et de ses propres valeurs. Sa capacité d'intimité, de relation authentique, ses réactions aux ruptures, son seuil de tolérance à la frustration, la force de son identité et des sentiments sur sa propre valeur ne sont que quelques-unes des composantes qui s'enracinent dans son enfance et conditionnent un grand nombre de ses réponses aux pertes provoquées par la situation de divorce.

Pour lui, départager le rôle de conjoint du rôle de parent pose un défi qui dépasse largement les seules considérations socioculturelles et lui demande de recourir à des ressources personnelles de maturité qu'il n'a pas nécessairement développées.

Rôle conjugal et rôle parental

D'après des études, les pères vivant un réel engagement paternel durant le mariage le conservent après la séparation et rencontrent un minimum de conflits avec leur ex-femme, alors que c'est la situation inverse pour les pères moins présents avant la rupture.

À partir de ces observations, est-il possible de croire que le fait, pour un père célibataire, de se centrer sur la création d'une nouvelle relation avec son enfant puisse le soutenir dans ses tentatives de détachement de son rôle d'époux ? Se pourrait-il que l'affection et l'intérêt pour son enfant deviennent un moyen et un appui dans ses efforts pour subordonner l'hostilité et la colère au désir de sauvegarder la qualité de sa paternité ? Ces pères pourraient-ils en arriver à concevoir que l'engagement vis-à-vis de leurs enfants amorce le mouvement de leur propre croissance ?

Il est bon d'envisager aussi qu'il y a pour eux, contenues dans ce lien de filiation potentiel ou réel, les promesses d'une vie plus riche et plus satisfaisante, en dépit du branle-bas émotionnel dans lequel les plongent les pertes découlant de l'échec de leur mariage.

Le cheminement des pères célibataires prend un sens tout à fait particulier quand on accepte de considérer la rupture conjugale comme un événement de transition. « Une transition..., écrit Jacques Sauvageau, est une situation psychologique particulière créée par une personne à travers son expérience de l'existence qui l'amène à modifier fondamentalement et durablement certaines de ses croyances fondamentales à propos d'elle-même et du monde de façon à pouvoir composer avec cette situation et poursuivre ainsi son cheminement. »

Un bouleversement énorme se produit chez tout homme qui doit vivre dorénavant loin de sa famille. Si certains refusent d'être interpellés par les incertitudes qui les assiègent soudainement, d'autres ne peuvent échapper à la remise en question fondamentale qui ébranle leurs croyances, leurs valeurs, leurs motivations, leurs buts et jusqu'au sens même de leur vie. Pour les premiers, l'espoir de grandir demeure mince. Il est probable qu'ils se soumettront aux modèles tracés et adopteront le style du père narcissique ou du père de fin de semaine.

Pour les autres, il est permis de rêver puisque les voilà engagés sur la seule voie qui puisse les conduire au désir d'être père, avec tout ce que cela suppose de disponibilité physique et psychologique, sans compter l'ouverture à une dimension clé en matière de parentalité : la responsabilité existentielle. Sauvageau rapporte que « ... l'expérience de la première paternité a constitué pour certains pères une occasion de cheminer à l'égard de la responsabilité existentielle et qu'elle fût de ce fait, une occasion de développement personnel et de croissance ».

Bien que l'événement auquel l'auteur fait allusion se rapporte à la naissance du premier enfant, je crois tout à fait possible que semblable cheminement survienne à la suite d'un événement tel qu'une séparation ou un divorce, considérés par plusieurs comme un important passage de l'existence.

Personnellement, j'ai la conviction que sans ce cheminement au niveau de la responsabilité existentielle, le fils ne pourra devenir père et sera, dès lors, dans l'impossibilité de faire face aux exigences de la tâche parentale.

Pour le père séparé ou divorcé cela consiste à couper le cordon avec les parents mais aussi avec l'ex-conjointe, les anciens rôles, les vieilles croyances, mythes et valeurs qui l'avaient animé jusque-là et qui le confirmaient, peut-être, dans sa peur de s'engager dans le quotidien intime avec son enfant. Cette réalité soulève beaucoup de résistance et c'est cette résistance à accepter les changements secondaires à la perte qui constitue la base du deuil : répugnance à laisser aller des choses telles que possessions, amis, statuts, attentes.

La tâche est loin d'être facile et si quelques-uns d'entre eux réussissent à transformer en occasion de croissance et de développement une expérience porteuse de chagrin et de deuil, d'autres ne peuvent franchir seuls la multitude des obstacles personnels, interpersonnels et sociaux qui les séparent de leurs enfants.

Mais ils peuvent avoir de l'aide pour cela. Edward Dreyfus, psychothérapeute, affirme qu'à mesure que l'image de leur masculinité commence à pâlir, les hommes désirent partager leur peine avec un thérapeute.

Ces pères qui souffrent dans leur être ont besoin d'accompagnement, de soutien, d'empathie, de compréhension particulièrement dans les premiers moments, semaines ou mois qui suivent la séparation. Puis revient le calme après la vague de dépression, de dépréciation, d'apitoiement sur soi-même et c'est là que le changement peut survenir. C'est là, dans toute la vulnérabilité encore présente, que la confrontation permet la transformation. Plus tard, il sera trop tard : l'homme retournera à sa manière inadéquate de composer avec le monde. Au contraire, s'il se permet de réfléchir, d'examiner les valeurs et les croyances qui sous-tendent son comportement, d'explorer ses pertes et leurs significations, l'homme gravira ce chemin qui le mène à lui-même. Il pourra s'ouvrir et même s'intégrer à des groupes d'hommes pour apprendre qu'il peut se nourrir de ses semblables et partager ses sentiments sans perdre sa masculinité.

Il est alors permis d'espérer que ce qui n'était que noirceur se transforme en un état de croissance et de développement. À partir de ce moment, non seulement le père séparé ou divorcé devient-il père au plein sens du terme, mais il accède par le même mouvement au bonheur et à la tranquillité d'être son propre parent. Denis Pelletier, psychologue, dans un livre merveilleux intitulé *L'Arc-en-soi* écrit à ce propos :

> « L'expérience d'être sa propre mère et son propre père ne consiste pas à reproduire les attitudes qu'ont eues et qu'ont encore les parents réels. Elle correspond à l'affection qu'une personne est en mesure de ressentir pour elle-même quand elle sait être pour elle la mère idéale et le père idéal dont elle a besoin. »

Toutes ces observations montrent qu'il faut de la maturité aux hommes pour comprendre ou modifier leurs comportements de pères après la séparation. Le père est avant tout un homme et il est vain de prétendre à aucun changement véritable, aucune guérison, sans prendre en considération les dimensions profondes qui le font agir. J'en arrive là où il nous faut découvrir par quel acte « paternant » le père séparé vivra le geste symbolique qui le consacre « père pour toujours », malgré sa présence occasionnelle.

Rêver d'enfant

C'est par le rêve que prend forme le père de désir ou le désir d'être père. C'est par le rôle irremplaçable joué par l'imaginaire, c'est par l'apport inestimable des images et des fantasmes que du géniteur naîtra le père. Très peu d'hommes sont familiers avec ce genre de discours. On ne parle pas ainsi de l'expérience du devenir-père. Ce dont il est plutôt question c'est d'un homme appelé père parce qu'il regarde et soutient sa conjointe pendant la métamorphose.

Pour les pères séparés, s'abandonner aux fantasmes leur permettrait de se voir pères, de s'imaginer pères, de se désirer pères autrement : autrement que dans le quotidien, autrement que dans la certitude de l'acquis, autrement qu'à travers la permission maternelle, autrement qu'à temps perdu. Ce processus intérieur équivaut à une fécondation, dans la tête et dans le cœur, de ce oui prononcé haut et fort à une invitation de paternitude. « Il n'y a pourtant rien d'absurde à supposer que si le père ne porte pas l'enfant dans son ventre, il peut, tel Zeus pour sa fille Athena, le porter dans sa tête », affirme Geneviève Delaisi de Parseval.

Alors apparaîtrait le père à part entière, un homme qui reste père à tout moment, qui accepte ses enfants dans sa vie et dans sa conscience, qui s'implique dans les divers aspects de leur vie et qui considère son rôle de parent comme partie intégrante de son identité.

Dans le cadre du droit de visites et de sorties, il est sans doute difficile pour un père d'accepter que d'autres personnes décident pour lui des modalités de rencontres avec ses enfants. Mais ce qui importe, c'est de considérer que même à l'intérieur d'un certain nombre de contraintes, le père dispose de moyens à l'aide desquels il peut exercer avec satisfaction et efficacité une partie de ses droits et devoirs de parent. Il doit, toutefois, être pleinement déterminé à utiliser le temps qu'il a avec l'enfant plutôt que de poursuivre d'autres combats (harcèlement de la mère, débat juridique, etc.).

Dans le meilleur des cas, c'est-à-dire dans l'entente et le respect mutuel des deux parents, un père qui assume avec régularité et ponctualité l'exercice de son droit de visites et de sorties initie ses enfants à un rythme dans lequel ils puisent la sécurité nécessaire à leur bien-être, la conviction de compter pour lui et l'assurance de pouvoir compter sur lui. Pour le père, cette fidélité à l'enfant lui sert de balises à l'aide desquelles il se réorganise et se réunifie.

Des incidents de toutes sortes peuvent évidemment contrecarrer cette harmonie. Mais dans la mesure où le père demeure en contact avec ses propres besoins et ceux de son enfant, où il arrive à confronter ses réactions et ses sentiments à ses motivations réelles, il reste le maître d'une expérience à laquelle il donne sa propre et exclusive signification. Il se réapproprie de la sorte ce qui n'était que contrainte (ordonnance du tribunal) pour en faire un rituel unique et original, première étape d'une série de gestes de symbolisation qui le conduiront à l'acte paternant.

Afin de tirer le meilleur parti possible de ses rencontres sporadiques avec son enfant, le père a tout avantage à se prévaloir des conditions nécessaires à la création des liens d'attachement. L'importance accordée à la quantité et à la qualité des interactions parent-enfant aux premiers jours de la vie conserve ici tout son sens. Bien qu'on ne puisse plus parler de quotidien, il demeure toujours plausible de parler d'intimité. Mais pour cela il faut compter avec le temps, un des principaux pièges à éviter étant la superficialité de la relation. Cette caractéristique, normale dans les premiers mois suivant la séparation, s'amenuise peu à peu si le père arrive à occuper sa place en renonçant à être une autre mère, en refusant de voir son enfant à travers ses yeux à elle et en acceptant d'être vu de lui, tel qu'il est, avec sa tendresse, sa sensibilité, mais aussi sa colère et son impatience. Il lui faut apprendre à dire NON, malgré sa peur d'être moins aimé de l'enfant, d'être abandonné par lui, ou d'être comparé. Dire non aussi à la séduction, à la permissivité et aux faux rôles (ami, copain, confident). Être père, c'est avant tout être en mesure de sécuriser, à l'aide de limites, un être dont l'instabilité est la condition.

Le temps contribue également à atténuer l'impact émotionnel des coupures répétitives qu'engendre nécessairement ce genre de relation. En attendant, sans doute cela le rassurera-t-il de parler avec d'autres pères séparés depuis plus longtemps que lui, et d'entendre que cette douleur devient moins vive au fur et à mesure qu'ils reprennent confiance en eux-mêmes et qu'ils acquièrent la certitude que dans cette relation, père et enfant ont inéluctablement besoin l'un de l'autre.

Cet échange lui apprend aussi qu'il peut se donner des moyens de faire face aux moments difficiles comme le départ des enfants après les sorties ou les visites, les anniversaires, les vacances, Noël... Ses meilleures chances de réussite passent par sa capacité d'être actif, de prendre des décisions, de s'organiser pour répondre à ses besoins. Il peut, par exemple, prévoir la présence d'un(e) ami(e) au moment où il ramène les enfants chez la mère, planifier ses vacances, partager la fête de Noël avec des personnes chaleureuses... Tout ceci contribue à réduire son anxiété et l'aide à traverser la période pénible d'ajustement, où les exigences dépassent encore les gratifications. Une fois cette période passée, le père commence à récolter les intérêts de son investissement émotif. C'est ce que j'avais désigné antérieurement par le terme *réciprocité*, autre condition essentielle à l'établissement des liens d'attachement.

Pour un père préoccupé soit de construire soit de préserver sa relation avec ses enfants, la recherche de réciprocité prend une telle importance qu'elle peut être à l'origine de comportements de séduction et de marchandage. Mais il commet là une grossière erreur. C'est sur d'autres assises, en effet, qu'il doit compter pour s'assurer l'affection de ses petits. Car ce n'est que dans le vrai de la relation, dans l'affrontement direct des problèmes rencontrés, dans la confiance que l'enfant aura acquise de pouvoir compter sur son père ailleurs que dans des réponses matérielles que naîtra la réciprocité. Que l'enfant, pour diverses raisons, refuse cette réciprocité ou que le père interprète de la sorte certaines de ses attitudes, l'établissement ou le maintien de la relation s'en trouvera grandement menacé. À titre d'exemple, certaines études menées auprès de parents séparés ont fait ressortir que les enfants de 9-10 ans adoptent souvent une attitude colérique face au divorce de leurs parents, ce qui peut expliquer la diminution des contacts entre le parent non gardien et les enfants de ce groupe d'âge.

C'est donc en considérant les gestes, les besoins et les émotions du moment que se construit, au fil du temps, une relation père-enfant qui n'a de particulier que d'être soustraite à la nécessité du quotidien. Car l'intimité ne repose pas surtout sur la cohabitation, mais plutôt sur la disponibilité à vivre de l'intérieur son rapport avec l'autre. Tout entre eux devient possible, au fur et à mesure que le père accepte que les limites de cette relation sont tout aussi tributaires de ses difficultés personnelles que des contraintes extérieures. Hervey de Fontenay traduit bien cela lorsqu'il écrit que « l'instinct paternel, et l'instinct maternel, c'est comme l'auberge espagnole : on y trouve ce qu'on y apporte ».

Mais le père, aussi mûr et responsable qu'il soit, n'est pas seul concerné par le devenir de sa famille après la séparation ou le divorce. Quelle place la femme et la société lui réservent-elles auprès de ses enfants quand se dénoue le lien matrimonial ?

II. Une place pour le père

J'ai discuté déjà de l'étendue de l'influence maternelle sur l'issue de la paternité, appuyée en cela par de nombreux écrits et témoignages. Ce qui importe tout particulièrement ici est de répondre à l'interrogation suivante : après la séparation, la mère a-t-elle une place à faire au père ? Posée ainsi, la question soulève quelques réserves puisqu'il serait facile d'y répondre par oui et non tout à la fois.

Mère et père grandeur nature

Oui, la mère a une place à faire au père, parce que dans ce projet de famille, un homme et une femme se sont également engagés par un acte procréateur qui signe de manière indélébile l'histoire génétique de leur enfant. Qu'elle le veuille ou non, en acceptant la semence, la mère se voit contrainte d'admettre que l'être qu'elle nourrit porte en lui le père qu'elle lui a choisi. Sur un plan légal et même biologique, malheureusement, rien ne permet encore aux hommes de prouver leur paternité, ce qui laisse à la mère tout le loisir de les répudier. Au nom de quoi, au nom de qui peut-elle faire cela ?

« Au nom de son incapacité à être père », objecte-t-elle, ce qui est vrai dans plus d'un cas. De là à prétendre que tous les pères qui, pour une raison ou une autre, sont ou ont été plus ou moins présents auprès de leur famille pendant le mariage (soit qu'ils n'ont pas voulu, n'en ont pas été capables ou se sont vus refuser l'occasion de l'être) devraient par le fait même se retrouver privés de leur droit d'exercer leur paternité après le divorce, il n'y a qu'un pas. « Il ne s'en est jamais occupé, déclare-t-elle, ils sont à moi. »

On peut comprendre le désir des mères de garder pour elles seules ces êtres auprès desquels elles se sont engagées tout entières (au prix de leur profession et de leur carrière entre autres), leur révolte devant les revendications d'un homme resté jusque-là éloigné de son rôle, leurs inquiétudes et leurs réticences à lui confier leur progéniture alors qu'elles n'ont pas confiance en ses ressources, leur refus d'admettre que ces enfants aiment toujours ce père dont elles ne veulent plus comme conjoint ou dont elles se sentent abandonnées. En revanche, il est difficile d'admettre qu'elles s'octroient, même pour toutes ces raisons, le droit exclusif à la parentalité. Je ne cherche pas à inciter les mères à confier aux pères la garde totale des enfants. Mais je pense qu'il est temps pour nous de revoir, avec toute la sincérité dont nous sommes capables, le sens réel des motifs qui nous poussent à refuser au père de nos enfants la liberté pleine et entière d'intervenir dans leur existence. Dans cet ordre d'idées, peut-être nous serait-il utile, si nous persistons dans cette attitude, de prévoir les bonnes justifications pour le jour où nos filles et nos fils viendront nous demander des comptes !

Mises à part les situations où les enfants sont exposés à de réels dangers en présence du père, il reste bon nombre de cas où les accrochages entre les ex-conjoints relèvent davantage d'un règlement de comptes affectif. Les reproches concrets adressés aux mères par les pères touchent rarement des questions de fond mais plutôt des agaceries, des provocations

mineures e … la
patience et l … us,
téléphones … nts,
planificatio … ent
des sorties … ans
égard aux r … ela
de réelleme … us-
jacent véhic … ous
embarrasse … uer
ailleurs... » …

La perception que la mère entretient à propos du père est sincère, bien que pas toujours exacte, et il n'y a rien à redire à cela. Toutefois, son attitude de rejet à l'égard d'un être que l'enfant souhaite toujours aimer a pour effet de placer ce dernier dans une situation d'autant plus intolérable qu'il est jeune et incapable de faire la part des choses. Cela peut susciter de profonds états d'anxiété qui se manifestent en comportements aussi variés que des malaises physiques, des troubles scolaires, des troubles socioaffectifs et parfois un refus de voir le père. Si davantage de femmes connaissaient le prix que leurs enfants payent pour les guerres qu'elles entretiennent avec l'ex, il y a fort à parier que les choses changeraient.

Chez les mères comme chez les pères, les motivations risquent d'échapper à la seule préoccupation de l'intérêt et du bien-être de l'enfant. La nécessité de tenir compte des valeurs de développement personnel indispensables pour départager le rôle parental est aussi vraie pour elles que pour eux, sans compter que le pouvoir d'une bonne majorité de femmes s'articule presque exclusivement autour de leur fonction maternelle, ce qu'elles n'abdiquent pas aisément. Dans ces circonstances, accepter de partager l'amour et le soin de leurs petits équivaut pour elles à se défaire d'une partie de ce qui constitue les racines de leur identité personnelle et sociale.

Si les hommes ont tout à gagner à se rapprocher de leurs enfants, les femmes craignent, elles, de perdre trop en les laissant partir. Mais ce qu'elles ont tendance à oublier, c'est qu'à laisser s'épanouir entre les enfants et leur père un lien fort et durable, elles s'offrent l'opportunité de porter à deux un engagement qu'elles ont pris pour elles seules et qu'elles ont trouvé plus d'une fois bien lourd à assumer. Qui plus est, en laissant à l'ex-conjoint l'entière responsabilité de ce qu'il souhaite vivre avec les enfants, elles se soustraient à la tâche fastidieuse de faire la démonstration ou de ses inaptitudes ou de ses talents. En agissant de la sorte, non seulement se donnent-elles de l'air mais elles dégagent tout un espace pour leurs enfants, qui développent, au fur et à mesure qu'ils vieillissent, la capacité de juger par eux-mêmes de ce qui leur convient ou non dans ce face-à-face avec leur père.

Il importe que la mère fasse une place au père séparé ou divorcé parce que cette situation de rupture les concerne d'abord tous les deux comme parents et que tout doit être tenté pour préserver les autres membres de la famille des pertes encourues par leur choix de se quitter. Elle doit lui faire une place car il est démontré que les enfants ont besoin, pour se développer normalement, de la présence de leur père et de leur mère. Elle doit lui faire une place parce que ses enfants ne partagent pas nécessairement son désir d'être séparée de lui ou son ressentiment d'avoir été laissée. Elle doit lui faire une place parce que les nombreuses études portant sur les enfants du divorce tendent à prouver que ceux qui conservent le privilège de voir les deux parents après la séparation s'adaptent plus facilement à la nouvelle structure familiale. Elle doit lui faire une place parce qu'à moins d'avoir de sérieuses explications à offrir, ses enfants pourraient un jour la sommer de leur rendre compte de l'absence du père dans leur vie. Voilà pour ce qui est du OUI.

À l'opposé de cela, il y a le NON. La mère n'a pas à faire de place au père en dehors de son désir et de sa volonté à lui d'occuper cette place. Le reconnaître, le respecter, le comprendre, coopérer, oui. Mais tracer pour lui la voie, parler en son nom, cultiver son ombre, NON. La mère n'a pas non plus, selon moi, à contrôler, diriger, ordonner ni le genre ni la manière d'être du père de ses enfants.

Que chacun occupe son siège, que chacun soit responsable de lui-même et soit redevable uniquement devant l'enfant de ce qu'il fait ou ne fait pas pour lui, alors qu'il est censé l'aimer, l'entourer et le protéger. En aucun cas, la mère de l'enfant ne doit devenir la mère du père. Faire une place au père en occupant la sienne propre, à l'intérieur de ce qu'elle seule peut donner et transmettre par son sexe, mais aussi et surtout par ce qu'elle est comme personne. Et il ne tient qu'à lui de construire ses propres châteaux. Ce qu'il ne fait pas pour occuper cet espace qu'elle lui reconnaît ou pour revendiquer celui qu'elle lui refuse, personne d'autre ne le fera pour lui et il sera seul à répondre des gestes qu'il n'a pas posés.

Lorsque le père a suffisamment grandi pour assumer seul l'entière responsabilité de sa paternitude et que la mère accepte de laisser ses enfants s'éloigner d'elle alors qu'elle explore d'autres façons de se définir et de s'unifier, la tentation est forte de penser que plus rien ne s'oppose à des relations d'après divorce harmonieuses, basées sur la coopération des ex-conjoints et l'intérêt de l'enfant. Mais que dire de l'aspect social des choses ?

Une s

E ... une place pour l ... itionnelle se léz ... ler irréa-liste. ... apparent puisq ... pères en ruptu ... question des v ... à présent la rel

C ... crédit de quelques tentatives pour améliorer l'engagement de la gent masculine dans un processus demeuré, jusqu'à récemment, la chasse gardée de leurs partenaires féminines. Même si un nombre important d'hommes ont accepté d'emboîter le pas de leurs épouses vers les classes prénatales et les salles d'accouchement, plusieurs se plaignent de cette méthode qui les traite « comme des initiés » aux mystères de la maternité, alors qu'ils auraient tout à découvrir d'une démarche intérieure déclenchée par la perspective de devenir père. Il vaudrait mieux inviter les pères à se centrer sur ce qu'ils vivent plutôt que d'en faire de fins observateurs du vécu maternel.

Ce changement de perspective amènerait les hommes à se situer dans leur relation avec l'enfant à partir de leurs perceptions et de leurs sentiments plutôt qu'en prenant exemple sur le modèle féminin. Alors que pour accéder à leur désir d'être père ils ont à renoncer à être une autre mère, la philosophie adoptée par les intervenants des classes prénatales les pousse à observer, comprendre, accompagner et soutenir la mère. Comment s'étonner qu'au moment de la séparation ceux-ci se retrouvent démunis, incapables d'être pères ni de s'évaluer comme pères autrement que par le regard de la mère ?

Ceci toutefois est déjà en train de changer. Plusieurs équipes engagées depuis plusieurs années auprès des couples enceints réalisent qu'il ne suffit pas, pour être bons parents, d'avoir des connaissances et de développer des aptitudes (laver le bébé, le nourrir, le langer...), bien au contraire. Les intervenants ont en effet constaté que cette approche pouvait accroître le sentiment d'incompétence de certains individus face à leur tâche parentale, spécialement dans les familles démunies, ou en état de crise. En réponse à cela, ils proposent une intervention qui permettra aux parents d'exprimer leurs émotions et d'explorer les conflits que la présence de l'enfant soulève nécessairement au plus intime d'eux-mêmes.

J'aurais tort de vouloir prétendre que toutes les familles sont à risques, mais je ne suis pas loin de penser que les familles éclatées le sont effectivement. Comment ignorer les dangers encourus par les relations parents-enfants après le divorce ? Comment ne pas tenir compte des complications menaçant la création du lien père-enfant après la rupture ? Comment ignorer la contribution des conflits personnels dans le départage du rôle conjugal du rôle parental ?

Si une intervention sociale efficace et axée sur le développement de la personne du père était mise en place dès la conception de l'enfant, les problèmes soulevés par l'exercice de la paternité d'après divorce n'auraient pas une telle ampleur. On ne peut nier qu'une situation de crise comme celle de la séparation ou du divorce contient le risque potentiel d'étaler au grand jour des conflits demeurés latents pendant la durée du mariage. Il y a donc tout lieu de croire qu'une préparation à la paternité tenant compte de l'expérience passée et présente du futur père deviendrait un facteur déterminant de croissance susceptible d'orienter constructivement l'issue du parentage du père après la rupture conjugale.

Dans un autre ordre d'idées, la création de congés de paternité dépassant les trois jours réglementaires validerait l'importance du rôle paternel auprès de l'enfant, alors que l'assouplissement des horaires en matière de travail l'autoriserait à aménager temps et énergie en fonction des besoins nouveaux de sa famille. Pareilles mesures ouvriraient la voie à une nouvelle mentalité, à une nouvelle façon, pour les hommes, de concevoir la place des enfants dans le déroulement de leur vie professionnelle. Le précédent, une fois établi, pourrait affecter positivement l'option des pères séparés ou divorcés en ce qui a trait à la garde des enfants.

Une autre composante sociale importante concerne l'attitude des praticiens de notre système judiciaire. Il a déjà été souligné de quelle manière les juges et les avocats opèrent, soutenus en cela par une législation à bout de souffle devant la rapidité des changements sociaux affectant la famille contemporaine.

Je me risquerai à dire que lorsque ces juges et ces avocats seront eux-mêmes devenus des pères de désir, le cours de l'histoire changera. Mais attendre cela correspond sans doute à enfourcher la tortue plutôt que le lièvre ! Cependant, une heureuse alternative fait son chemin au Québec depuis quelques années et offre aux parents en voie de rupture le moyen de négocier une entente commune qui correspond aux besoins et aux aptitudes de chacun de demeurer parent après le divorce.

Cette intervention, sans être de nature thérapeutique, permet tout de même aux deux parties d'apprendre à se parler avec respect, à formuler leurs désirs, à établir leurs priorités, à coopérer avec l'autre dans l'intérêt et pour le bien de leurs enfants. Avec l'aide d'un médiateur ou d'une médiatrice, ils expriment et parfois acquièrent, dans un climat de confiance et de soutien, certaines habiletés qui les aideront ultérieurement à départager les rôles, les devoirs et les désirs. À tous les moments de son intervention, le médiateur ou la médiatrice vise la coopération du couple. L'objectif poursuivi à chacune des rencontres est de parvenir à une entente satisfaisante et applicable pour chacun des ex-conjoints. Au terme de ces rencontres, et la mère et le père jouissent d'un projet qui leur appartient et dans lequel ils se retrouvent, ce qui permet d'échapper, en bonne partie du moins, aux frustrations suscitées par des décisions imposées de l'extérieur, sans égard à leurs besoins et revendications respectifs.

La médiation en matière matrimoniale est du ressort de spécialistes en relations humaines (psychologues, conseillers, travailleurs sociaux) ou en droit (avocats, notaires). La mise sur pied d'un pareil service est un grand pas chez nous, quand on considère tous les dommages occasionnés à la relation père-enfant par le recours au système judiciaire, justes conséquences des croyances fondamentales que ce système véhicule (les enfants vont à la mère) et de son application (les conjoints deviennent des adversaires). Il est par ailleurs inquiétant de noter que les honoraires des avocats s'élèvent proportionnellement à la durée et à l'intensité des conflits que les ex-conjoints doivent affronter (ou qui sont suscités).

Il est à souhaiter que de plus en plus de couples soient informés de l'existence de cette ressource qui, du reste, vient d'être prévue par la nouvelle loi concernant le divorce :

> « Il incombe également à l'avocat de discuter avec son client de l'opportunité de négocier les points qui peuvent faire l'objet d'une ordonnance alimentaire ou d'une ordonnance de garde et de le renseigner sur les services de médiation qu'il connaît et qui sont susceptibles d'aider les époux dans cette négociation. » (art. 9)

Il est urgent que le plus grand nombre d'intervenants (psychologues, conseillers, travailleurs sociaux) se chargent de transmettre cette information et que les organismes offrant ce service de médiation familiale n'hésitent pas à se faire connaître du public.

Le troisième et dernier volet de l'aspect social que je traiterai touche la nature du soutien psychologique. La documentation que j'ai consultée m'a permis de comprendre l'isolement des pères séparés ou divorcés, l'importance des carences affectives qui, pour certains, font obstacle à leur paternité ainsi que l'impact psychologique attribuable aux modifications de leur relation avec l'enfant, après la séparation.

Ce n'est un secret pour personne que les femmes voient se multiplier leurs sources d'entraide, alors que peu de choses sont encore faites pour les hommes. En attendant qu'ils osent davantage qu'ils ne le font maintenant, qu'ils consentent à partager les émotions qui les tenaillent, il serait utile d'instaurer un accompagnement auprès des familles divorcées au même titre que celui qu'on assure à celles nouvellement formées (suivi postnatal).

Je crois qu'un gouvernement qui propose une politique familiale devrait se préoccuper des individus qu'elle vise, quel que soit le modèle familial qu'ils adoptent. Si on peut louer l'effort de nombreux organismes tournés sur cette problématique, que dire des priorités de nos dirigeants que le bénévolat disculpe ? Dans un cas comme dans l'autre, il est déplorable de constater qu'une partie importante de la population se trouve privée de l'accompagnement psychologique dont elle a tant besoin en raison des coûts rattachés à ce genre de consultation.

Je souhaite que se multiplient les réseaux d'entraide permettant à des individus qui ont en commun une expérience semblable de partager leurs peurs, leurs angoisses ou leur rage mais aussi leurs réflexions, leurs découvertes et leurs espoirs. Que les pères se parlent, qu'ils se soutiennent, qu'ils se « paternent » entre eux et nos enfants ne s'en porteront que mieux.

Toujours pères après le divorce ? Oui, vraisemblablement, moyennant comme nous le constatons certains préalables :

— Qu'ils désirent et qu'ils consentent à être ce père à tout prix, par-delà le chagrin, les frustrations, les difficultés qui feront obligatoirement obstacle à l'établissement de leur nouveau modèle de paternité ;

— Qu'ils disposent des ressources personnelles suffisantes pour offrir à leurs enfants la base de sécurité et d'affection nécessaire à leur croissance. Cela peut supposer, dans certains cas, une démarche personnelle majeure au moyen de laquelle ils passeront de l'état de fils à celui de père ;

— Qu'ils se laissent mobiliser par cet événement qui leur offre, en plus de son lot de souffrances, une occasion unique de réexaminer leurs valeurs, leurs croyances et le sens qu'ils avaient jusque-là donné à leur existence.

En terminant, j'ajouterai qu'il y a lieu de se réjouir du remous qui secoue nos certitudes d'hier et de cette voix d'homme qui s'élève pour revendiquer une place qui n'attend plus que lui. Souhaitons que des blessures infligées aux modèles familiaux traditionnels surgisse, plus forte et plus évidente que jamais, une conscience renouvelée de la nécessité de la présence du père auprès de l'enfant, à toutes les étapes et dans toutes les situations de sa vie.

TOUT COMPTE FAIT...

Alors que je termine ce livre, je reste avec de brûlantes questions que je sens le besoin de partager avec tous ces pères en mutation qui, je l'espère, me liront, et avec toutes ces mères qui me ressemblent et sont prêtes à faire face à la réalité de la paternitude.

— La participation active du père aux soins physiques de l'enfant témoigne-t-elle à elle seule de son engagement affectif auprès de lui ?
— À quels facteurs un homme qui se définit « père » attribue-t-il son sentiment de paternité ?
— Les hommes rêvent-ils d'enfants ?
— Tel père, tel fils. Quelle serait, concrètement, l'influence du père sur l'issue des comportements paternels du fils ?
— Le doute fait-il obstacle à la paternité ?
— Les hommes devenus pères à la suite de l'insémination artificielle de leur conjointe doutent-ils moins que les autres ?
— La séparation : transition vers une parentalité plus responsable pour les hommes. Vrai ou faux ?
— Ces pères qui laissent tout tomber, qui sont-ils ?

Ce sont là quelques-unes de mes interrogations et je compte que mes lecteurs en formulent d'autres, les leurs. Mon intérêt me porte à comprendre l'homme-père mais je sais que ma condition de femme me refuse de vivre son expérience. Néanmoins, je souhaite vivement que mon regard sur le vécu du père séparé apporte l'occasion aux lecteurs de remettre en question quelque chose de leur existence.

ANNEXE

Source : Statistiques Canada (1985)
Mariages et Divorces
La statistique de l'état civil
Vol. II

TABLEAU 17

Nombre d'enfants à charge selon la personne à laquelle on a octroyé la garde

	Canada	Québec
Requérant — époux		
Requérant	5 762	1 805
Intimé	8 862	2 669
Autre personne ou organisme	81	53
Garde non octroyée	3 075	159
Total	17 780	4 686
Requérant — épouse		
Requérante	32 124	10 240
Intimée	2 489	1 071
Autre personne ou organisme	73	23
Garde non octroyée	3 570	158
Total	38 256	11 492

RÉFÉRENCES BIBLIOGRAPHIQUES

BADINTER, Élisabeth. *L'amour en plus :* l'histoire de l'amour maternel du XIIe au XXe siècle, Paris, Flammarion, 1980.

BADINTER, Élisabeth. *L'un est l'autre,* Paris, Éditions Odile Jacob, 1986.

BOWLBY, John. *Attachement et perte,* Paris, Presses universitaires de France, vol. 1 et 2, 1978, réédition 1984.

BRAZELTON, Berry. *La naissance d'une famille,* Paris, Éditions Stock, 1983.

CHAMPAGNE-GILBERT, Maurice. *La famille et l'homme à délivrer du pouvoir,* Ottawa, Éditions Leméac Inc., 1980.

CHAMPAGNE-GILBERT, Maurice. *Le temps d'être père,* Saint-Lambert (Québec), Héritage (Collection Université populaire), 1982.

DE FONTENAY, Hervé. « La paternité : le quotidien intime », dans H. De Fontenay et coll., *La certitude d'être mâle ?* Montréal, Jean Basile éd., 1984.

DELAISI DE PARSEVAL, Geneviève. *La part du père,* Paris, Éditions du Seuil, 1980.

DODSON, F. *Le père et son enfant.* Paris, Éditions Robert Laffont, Collection Réponses, 1975.

DREYFUS, Edward. « Counseling the Divorced Father. » *Journal of Marital and Family Therapy, 5* (4), 79-85, 1979.

NAOURI, Aldo. *Une place pour le père,* Paris, Éditions du Seuil, 1985.

PARKES, Collin Murray. *Bereavement : Studies of Grief in Adult Life,* New-York, Internationnal Universities Press Inc., 1977.

PELLETIER, Denis. *L'Arc-en-soi*, Montréal, Robert Laffont/ Stanké, 1981.

ROSENTHAL, Khristine M. et *Keshet*, Harry F. *Father Without Partners : a study of fathers and family after marital separation*. Totowa : Rowman and Littlefield, 1981.

SAUVAGEAU, Jacques. *Première paternité, expérience développementale et cheminement existentiel*, mémoire de maîtrise inédit, Québec, Université Laval, 1986.

THIS, Bernard. *« Uncle Dad », Esquire*, 73-84, mars 1985.

WEISS, Robert. *La séparation du couple*, Montréal, Éditions de l'Homme, 1975.

Achevé d'imprimer au Canada
Imprimerie Gagné Ltée Louiseville